Diosas y plebeyas

Dirección de arte: Trini Vergara
Diseño: María Inés Linares
Ilustraciones: Muriel Frega
Traducción: Nora Escoms
Edición: Cristina Alemany/Silvina Poch
Colaboración editorial: Soledad Alliaud/Angélica Aguirre

Argentina: Demaría 4412 (C1425AEB), Buenos Aires
Tel./Fax: (54-11) 4778-9444 y rotativas • e-mail: editoras@libroregalo.com

México: Av. Tamaulipas 145, Colonia Hipódromo Condesa,
Delegación Cuauhtémoc, México D. F. (C.P. 06170)
Tel./Fax: (5255) 5220-6620/6621 • 01800-543-4995
e-mail: editoras@vergarariba.com.mx

ISBN: 978-987-612-093-7

Impreso en Argentina por Casano Gráfica S.A. Printed in Argentina

Hopkins, Cathy
Diosas y plebeyas - 1ª ed. - Ciudad Autónoma de Buenos Aires: V&R, 2008.
132 p.; 21x14 cm.

Traducido por: Nora Escoms

ISBN 978-987-612-093-7

1. Literatura Juvenil Inglesa. I. Escoms, Nora, trad. II. Título
CDD 823.928 3

CATHY HOPKINS

Diosas y plebeyas

V&R
EDITORAS

1
Día de San Valentín

—Llegó la correspondencia, Lia —me avisó mamá al pasar frente a mi cuarto.

Miré por la ventana y vi la camioneta de correos alejándose por el camino. Era un hermoso día de sol y la vista desde mi ventana era deslumbrante. Terrenos aterrazados y extensos campos que bajaban hacia el mar y hacia nuestra playa privada. Aunque hace casi ocho meses que estoy oficialmente viviendo en mi casa, aún me entusiasma abrir las cortinas por la mañana, pues es un cambio muy grande respecto del edificio de apartamentos que veía cuando vivía en la escuela, en Londres.

—Bajo enseguida —respondí, y entré al baño en busca de mi portacosméticos. No tenía mucha prisa por bajar. Hoy, no. Era viernes 14 de febrero, Día de San Valentín. Era el día de las tarjetas, y sabía que no habría ninguna para mí.

Mientras me aplicaba un poco de brillo labial, recordé ese mismo día del año anterior, cuando aún vivía en la escuela. Había recibido montones de tarjetas. También tenía muchos amigos: Jason, Max, Elliot, Leo, Edward. Ninguno era mi alma gemela ni nada serio; sólo eran parte de mi grupo de amigos. Pero sí había tenido citas. Y tarjetas. Nos las enviábamos sólo por diversión y para que nadie se quedara sin la suya.

La vida es muy distinta desde que me mudé aquí, a Cornwall. Nueva escuela, nuevos amigos, todo nuevo pero nada de romance. Ni una sola cita. De ahí mi falta de expectativas en relación con las tarjetas de San Valentín.

Me demoré en mi cuarto, preparándome para la escuela, hasta que la curiosidad me superó. Tal vez había una tarjeta de algún misterioso extraño que suspiraba por mí en secreto. Un admirador que se revelaría más tarde: eso sería lo mejor que podría pasarme, después del helado de mousse de chocolate. Sí, y tengo a Frankenstein viviendo en el refrigerador, pensé, al tiempo que tomaba mi mochila y me dirigía a la planta baja.

Cuando bajé, mamá estaba clasificando una pila de sobres en la cocina. Levantó la vista y, por su expresión, me di cuenta de que mi presentimiento había sido acertado. No había nada para mí.

–No importa –le dije–. No esperaba nada.

Mamá meneó la cabeza.

–Todos estos chicos de aquí necesitan que les examinen la cabeza. –Señaló una jarra que había sobre la mesa de la cocina.– Preparé jugo de zanahoria, naranja y frambuesa. Sírvete.

–Eh... creo que tomaré sólo de naranja –respondí, mientras me dirigía al refrigerador y lo sacaba.

Los jugos son una de las pasiones de mamá, en parte por razones de salud y en parte por estética. Ella tiene cuarenta años pero aparenta apenas treinta, y se lo adjudica a los jugos. Dice que le quitan años a la gente y que son excelentes para mejorar la piel. Hace algunas mezclas fabulosas, pero otras son realmente extrañas. Eché un vistazo al oscuro líquido color carmesí que había en la jarra.

–No pensarás servir eso en la fiesta de esta noche, ¿verdad?

Mamá rió.

–No. Claro que no. Serviremos Bellinis, pues el tema de la fiesta es Venecia.

–Eso es champaña con jugo de melocotón, ¿no?

Lo sabía porque a mi hermana Estrella le gustan. Siempre tiene una botella de champaña y un cartón de zumo de melocotón en el refrigerador, en su apartamento de Notting Hill. Me causa gracia, porque a veces eso es todo lo que tiene en el refrigerador y, cuando voy a quedarme con ella, tengo que salir a comprar comida. No es que Estrella no coma. Pero la mayoría de las veces lo hace afuera y casi nunca está en casa.

Mamá asintió.

—Hay un lugar en Venecia, cerca de la Plaza San Marcos, que se llama *Harry's Bar*. Es famoso por sus Bellinis.

—¿*Harry's Bar*? No suena muy italiano. Parece más el nombre de un café en el este de Londres.

—Lo sé —dijo mamá—. Pero, al este de Londres es posible que haya un famoso café llamado *La Dolce Vita*, donde preparen el mejor té de la ciudad.

Reí. Cuando se trataba de festejar algo, mamá estaba en su elemento. Si alguna vez necesitara trabajar, ese sería un trabajo perfecto para ella, pues generalmente está haciendo alguna fiesta o planeando la próxima. Siempre a lo grande, con un tema distinto y sin reparar en gastos. Esta vez, la gente que estaba preparando la fiesta llevaba semanas en casa, recreando Venecia para un baile de máscaras que se haría en una gran tienda en la zona más elevada del jardín. Me sentía como si estuviese viviendo en un hotel, con todos esos camiones afuera y gente que iba y venía con enormes arreglos florales, telas o luces.

—¿Llegó alguna tarjeta para el galán de Cornwall? —pregunté.

El galán de Cornwall es mi hermano mayor, Ollie. Vive en la escuela en Londres, pero viene más o menos una vez al mes y tiene aquí una larga lista de admiradoras, entre ellas, mi amiga Cat.

Mamá contó las tarjetas.

—Tres. Pero la mayoría de las chicas se las envían a la escuela, porque saben que está allá en la semana.

—Supongo que sí —dije—. De hecho, tal vez la oficina de correos tuvo que alquilar un transporte extra para llevar toda la correspondencia de él.

Ollie siempre ha sido un imán para las chicas. Tiene la estupenda estructura ósea de mamá y sus ojos azules, pero con pelo oscuro como el de papá, en lugar de ser rubio como mamá y yo. Me pregunté si Cat le habría enviado una tarjeta. «Algo» pasa entre ella y Ollie desde el verano. Nada oficial, pero cada vez que están juntos, se nota que se gustan mucho. Cat sabe que él tiene fobia al compromiso y por eso no espera demasiado. Creo que es una de las cosas que a Ollie le agradan de ella y por eso duran tanto. Ella no lo persigue, mientras que otras chicas prácticamente acampan frente a su puerta para atraparlo. Lo cual es la manera perfecta de alejarlo, de modo que Cat está haciendo lo indicado.

–Yo recibí una de tu papá. –Mamá sonrió al colocar una enorme tarjeta con flores sobre la mesa–. Y él, como siempre, recibió una bolsa llena.

Mi papá es Zac Axford, cantante de la banda de rock Hot Snax. Tuvieron mucho éxito en los años ochenta y él aún tiene un puñado de seguidores fieles que no lo olvidan, aunque la mayoría de ellos ya son cuarentones. Yo le digo, bromeando, que es como Elton John con su club de fans de mediana edad, pero, con su aspecto de estrella del rock en decadencia, sus jeans gastados, sus chaquetas de cuero y el pelo hasta los hombros, se parece más a Mick Jagger que a Elton.

Pasé al vestíbulo, tomé mi chaqueta y salí a esperar que Meena, el ama de llaves, trajera el *Mercedes* para llevarme a la escuela. Max y Molly, nuestros setters irlandeses, vinieron a darme el saludo matutino habitual de lamidas y patas en los hombros. Al menos ustedes sí me quieren, pensé, cuando Max casi me derribó.

No podía evitar sentirme decepcionada porque no había ninguna tarjeta para mí, a pesar de que había presentido que no las habría. Supéralo, no es el fin del mundo, me dije. Está bien, no tengo novio aquí, ¿y qué? Al menos hice buenos amigos: Cat, Becca, Mac y Zoom. Son un muy buen grupo y diferente del de Londres, sus relaciones parecen durar más. Becca sale con Mac desde hace unos seis meses, y Cat salió con Zoom unos años hasta que se separaron el verano pasado, cuando ella cayó bajo el hechizo del galán de Cornwall. Yo o cualquiera de mis amistades de Londres no duramos más de tres meses en una relación. Nadie quería atarse a una sola persona.

Aun así, este nuevo grupo ha resultado fantástico y me ha hecho sentir bienvenida. El primer día de clases del año pasado me sentía petrificada, y me preguntaba si no habría sido un grave error pedir que me cambiaran de escuela. No era que no me gustara mi antigua escuela; me gustaba, sí, y tenía buenas amigas allá: Tara, Athina, Gaby, Sienna, Isabel, Olivia y Natalie. Todo cambió después de que mamá y papá compraron la casa aquí. Tuve que quedarme a vivir en la escuela y, como la mayoría de mis amigos sólo estaban allí de día, por las noches solía sentirme muy sola. Además, tenía mucho viaje para llegar a casa los fines de semana. Sentía que nunca pasaba suficiente tiempo con mamá y papá, pues siempre estaba en un tren, yendo o viniendo. A Ollie no le molestaba. Él quería quedarse allá, pero yo le dije a mamá que prefería ir a una escuela local y vivir en casa. No se opuso ni trató de disuadirme, ni siquiera por un segundo, y creo que me echaba de menos tanto como yo a ella. Habló con la directora de aquí y lo arreglaron todo. Me mudaría después del octavo año.

Cuando llegué a la nueva escuela todos parecían conocerse muy bien, charlando y poniéndose al día después del verano. Sabían dónde eran las clases, quiénes eran los profesores y los alumnos. Y sólo quedaba yo: la chica nueva de noveno año, intentando descubrir dónde ubicarme. Estaba claro que allí había amistades y grupos ya establecidos, y me pregunté si estaba destinada a estar sola todo el año, mirando a los demás desde lejos. No fue mi mejor momento, y echaba de menos a mis amigos de Londres. Cat fue mi salvadora. Se ofreció a mostrarme la escuela y nos llevamos bien desde el comienzo. Es una de las personas más simpáticas, genuinas y sencillas que conozco. Su mamá murió cuando ella tenía nueve años y creo que eso la hizo crecer más rápido. La cuestión es que la hizo sensible a los demás cuando se sienten un poco perdidos, tal vez porque ella misma se sintió así al morir su madre.

Oí la bocina del auto frente a las cocheras, de modo que respiré hondo y me preparé para la inevitable inquisición en la escuela.

2
¿Un admirador secreto?

Cuando llegué, todo el mundo estaba en el corredor cercano al vestíbulo donde nos formábamos, hablando de las tarjetas y del baile de San Valentín de la escuela. Entre susurros, risitas y miradas furtivas, cada uno trataba de averiguar quién había enviado una tarjeta y a quién pertenecían las que habían aparecido en el armario o en la mochila de otro.

–Y ¿cuántas recibiste tú? –preguntó Becca.

–Uf, demasiadas para contarlas –le respondí, tratando de hacer una broma. Empecé a contar con los dedos–. Una de Robbie Williams, una de Matt Damon, una de Eminem…

Becca abrió los ojos muy grandes.

–¿En serio?

Cat le dio un golpe en el brazo.

–No, está bromeando.

Reí. Becca es tan crédula. Piensa que porque papá está en el mundo de la música conocemos a todo el mundo.

–¿Y tú, cuántas tarjetas recibiste, Bec?

–Sólo una, supongo que es de Mac –respondió, recogiéndose el largo pelo rojizo–. Al menos, más vale que sea de él porque yo le envié una. ¿Y tú, Cat?

–Una. No sé de quién es. Al principio, pensé que sería de Zoom, porque nos enviamos tarjetas durante años, pero no es su letra. La reconocería aunque intentara disfrazarla.

–Yo creo que la gente debería firmar las tarjetas –dijo Becca–. Se ahorrarían muchos problemas si se supiera de entrada de quiénes son.

–En algunos lugares, lo hacen –dije–. Uno de mis amigos en mi otra escuela era estadounidense, y decía que allá a veces las firman.

–Sí, pero eso le quitaría el misterio –repuso Cat–. Lo divertido es tratar de adivinar.

–¿Le mandaste una tarjeta a Zoom? –le pregunté.

Cat meneó la cabeza.

–Ya no estamos como antes.

–¿Y a Ollie?

–No. Supongo que ya está suficientemente agrandado y, sin duda, recibirá una bolsa llena de todos modos. Pero en serio, Lia, ¿cuántas recibiste?

Junté el índice y el pulgar formando un 0.

–No entiendo –dijo Cat–. Mírate. Eres increíble: alta, pelo rubio largo, ojos azules... ¡eres la fantasía de todo chico! Es obvio que se turban cuando te ven entrar, y no, no menees la cabeza, los he visto. O me equivoco mucho o la mitad de los chicos de la escuela están locos por ti.

–Sí, pero a algunos chicos de aquí les gusta hacerse los duros –dijo Becca–. ¿Sabes? Creen que parecerían unos débiles si hicieran algo tan remotamente romántico como enviar una tarjeta. Patéticos, ¿no? Pero eso no significa que no haya un montón de chicos interesados en ti, Lia.

–Entonces, ¿por qué no he tenido ni una sola invitación desde que llegué?

–Porque, debajo de su fachada de duros, la mayoría son unos cobardes –respondió Becca–. Se sienten intimidados. Tú eres hermosa, un bombón de cinco estrellas, y la mayoría se da cuenta de que no está a tu altura. Los chicos detestan el rechazo más que nada, de modo que seguramente no te invitan a salir por miedo a que les digas que no.

–Estoy de acuerdo –dijo Cat–. De todos modos, no te pierdes de mucho. Nuestra escuela no es precisamente un semillero de chicos guapos.

Becca le dio un golpe en el brazo.

–Eh, disculpa. ¿Y Mac?

–Sí, claro –dijo Cat–. Y Zoom, pero no los cuento. Son amigos.

No dije nada pero, en el fondo, creo que podría gustarme Zoom si yo me lo permitiera. Pero no quiero, porque Cat y él salieron durante tanto tiempo y siguen siendo muy amigos. No sé cómo se lo tomaría ella y no quiero arruinar nuestra amistad. Así que me conformo con que seamos amigos. Creo que no soy su tipo. Soy alta y rubia, y él es menudo y moreno; además, nunca dio ningún indicio de que sienta lo mismo por mí.

–Siempre queda Jonno Appleton –dijo Becca, con un vistazo a un chico alto de pelo oscuro rizado que iba al undécimo año y estaba de pie junto a las puertas–. Cualquiera le da un nueve sobre diez.

–Sí –respondí–, me gusta, pero ¿a quién no? De todos modos, ya lo atrapó Rosie Crawford, de modo que está ocupado. Robar un novio ajeno va contra mis reglas.

–¿Qué nos importa? –dijo Cat–. ¿Acaso esta noche Ollie no va a traer con él a ese Michael de Londres?

Sentí que me ruborizaba.

–Sí. Michael Bradley.

–¿Ollie sabe que te gusta? –preguntó Becca.

–De ninguna manera –respondí–. Y ustedes no deben decírselo. Me moriría. No, jamás se lo diría a Ollie porque él intentaría juntarnos. No, yo quiero que sea algo natural.

Conozco a Michael desde que era pequeñita y quedé flechada por él a los siete años. Nunca me prestó atención; no mucha, al menos. Sólo soy la hermanita de Ollie, alguien a quien puede ganar al tenis y arrojar a la piscina en verano. Pero esta noche pienso cambiar todo eso. Hace casi un año que no nos vemos y cuando Ollie me dijo que pensaba traerlo para la fiesta de mamá, mi imaginación se desató. Mi plan era convencer a Ollie de que viniera con él al baile escolar. De esa manera, podría exhibir un poco a Michael y demostrarles a los chicos de la escuela que no soy totalmente repulsiva. Luego, en la fiesta de mamá... bueno, ¿quién sabe qué podría salir de una noche romántica en Venecia?

Cuando sonó el último timbre de la tarde, la escuela quedó vacía en un santiamén. Sin duda, todo el mundo tenía sus planes. Ir a casa, ducharse, vestirse, maquillarse y volver a la escuela. Nuestro plan era encontrarnos en casa de Cat, vestirnos allí, ir al baile de la escuela por una o dos horas y luego, a la fiesta espectacular de mamá. Ella dijo que podía invitar a quien quisiera, pero sólo invité a Becca, Cat, Zoom y Mac.

Es gracioso porque, desde que llegué aquí, a veces me siento un poco incómoda por lo rica que es mi familia. No quiero que nadie piense que estoy alardeando ni echándoselo a la cara. Siempre quise ser normal y aceptada, y eso era fácil en mi escuela anterior, porque casi todos tenían padres ricos o famosos. Hasta había una princesa en décimo año. Pero aquí, la gente no es tan adinerada y a veces lo único que ve son los autos extravagantes, la casa enorme y la fama de mi papá. No sabe que la mayor parte del tiempo mamá y papá llevan una vida muy tranquila. Los dos son muy caseros. A mamá le encanta trabajar en el jardín, cultivando hierbas aromáticas y verduras, y papá es feliz en su estudio escuchando sonidos o mirando televisión. Pero eso no es lo que ve el público. Ven a papá por la tele cuando le hacen entrevistas, lo cual no es muy frecuente últimamente. O en los videos de la MTV. Piensan que es el rockero salvaje. El Ozzy Osbourne de Cornwall. No puedo evitar ser su hija, y aquí, quiero ser Lia Axford, no Lia, la hija de Zac Axford, la estrella de rock. Hay una diferencia, y a veces esto influye en la percepción que tienen de mí en mi nueva escuela. Supongo que por eso trato de mantener la historia de mi familia en un segundo plano.

Corrí a casa para recoger la ropa que llevaría a lo de Cat. Cuando llegué, había un alboroto de gente que iba de un lado a otro, aún más que por la mañana. El tema veneciano ya había tomado forma. Había un trío de músicos ensayando en el vestíbulo, y habían colocado candelabros en el corredor que conduce a la derecha de la casa, donde se había armado la tienda para la fiesta. Va a quedar fabuloso, pensé, y vi a mamá dándoles instrucciones de último momento a unos ayudantes.

–¿Volvió Ollie? –le pregunté.

Asintió y señaló con el mentón hacia la escalera.

–Está en su cuarto con sus amigos. Ah, Lia, te dejaré en tu cuarto algunas máscaras para que tú y los chicos se pongan cuando vuelvan del baile de la escuela. No vengas tarde, ¿de acuerdo?

–De acuerdo. Gracias, mamá –respondí.

¿Ollie está con sus amigos? ¿Quién más habrá venido además de Michael?, me pregunté, mientras subía los escalones de a dos por vez. No importa: cuantos más, mejor. Corrí a mi cuarto para cepillarme el pelo y ponerme un poco de perfume antes de ir a saludar y, con un poco de suerte, antes de que Michael me prestara atención por primera vez.

Apenas abrí la puerta, vi un sobre azul sobre mi cama. Tenía escrito mi nombre con una bella caligrafía. Lo abrí. Era una tarjeta con una rosa roja. Adentro, decía: *A la chica de ojos plateados, de un admirador lejano que espera el momento apropiado para revelarse. Feliz Día de San Valentín*. Y luego tres besos.

Sentí una oleada de entusiasmo al revisar el sobre en busca de indicios. No tenía estampillas, de modo que lo habían entregado en persona o bien era de alguien que estaba en la casa.

Humm. Interesante, pensé, al oír las voces de Ollie y Michael en el corredor.

3
El baile

—Vaya, si es la pequeña Lia —dijo Michael cuando abrí la puerta de mi cuarto. Luego me miró de arriba abajo—. Bueno, ya no tan pequeña. Has crecido mucho este último año. ¡Te ves genial!

—Gracias —respondí, y le dirigí mi mejor mirada provocativa. Todo bien hasta ahora, pensé, mientras me daba un gran abrazo. Él estaba tan apuesto como lo recordaba: alto y moreno, con ojos pardos aterciopelados y un rostro increíble.

—¿Todo listo para esta noche? —preguntó Ollie—. ¿Viene Cat?

—Sí. Más tarde, conmigo. Primero tenemos que ir al baile de la escuela. De hecho, me preguntaba si tú y Mich...

En ese momento, oí que la puerta de una de las habitaciones de huéspedes se abría y cerraba a nuestras espaldas; al volverme, vi a una chica de pelo largo, oscuro, que se acercaba. Era muy bonita, de aspecto indio y hermosos pómulos. Oh, no, pensé. Ollie trajo a una de sus «novias». Espero que Cat no se enoje. Sentí una punzada de fastidio. Él siempre hace eso. Siempre está rodeado de chicas distintas, para que ninguna pueda acercarse demasiado.

—Lia, ella es Usha —dijo Ollie, cuando la muchacha llegó hasta nosotros—. La novia de Michael.

Mientras la chica tomaba la mano de Michael, traté de sonreír y de ser amigable pero, por dentro, sentía como si mi pecho fuese de cristal y alguien acabara de hacerlo pedazos.

— Eh... hola, Usha.

–¿Qué decías? –preguntó Ollie–. ¿Algo sobre un baile?

–Sí. Debo darme prisa. Hay un baile en la escuela. Voy allá primero. Vuelvo más tarde. Hasta luego.

Corrí a mi cuarto, cerré la puerta con llave, me arrojé sobre la cama y me cubrí la cabeza con la almohada. ¿Novia? ¡Había traído a su novia! ¡Caramba! Eso no lo había previsto. Pero, claro, era lógico que alguien tan atractivo como Michael tuviera novia, y Ollie no debía saber que me gustaba. Me quedé un rato en la cama, mirando el techo, y repasé mentalmente todas las malas palabras que conocía. No me atreví a decirlas en voz alta porque había demasiada gente en la casa y alguien podría estar pasando frente a mi cuarto y pensar que me había vuelto loca. De pronto, ya no tenía ganas de ir al baile, ni a la fiesta. Quería esconderme debajo de la cama y salir cuando todo hubiera terminado.

Poco después, llamó Cat para pedirme prestada mi gargantilla de perlas rojas y le conté todo.

–...así que, ya lo ves, no puedo ir –dije–. Sería pésima compañía y...

–Y ¿qué piensas hacer? ¿Quedarte toda la noche escondida en tu cuarto? Sabes que no puedes hacer eso. Tu mamá o alguien irá a buscarte, y tendrás que pasar toda la noche mirando a Michael con Usha. No, vamos, Lia, mejor sal de ahí. Piensa en otra cosa. Y, nunca se sabe, podríamos pasarla bien en la escuela, y más tarde, al menos Bec, Mac, Zoom y yo estaremos contigo.

El baile de la escuela ya estaba bastante avanzado cuando llegamos. Finalmente, no fui yo la causante de que llegáramos tarde sino Becca. Llevó seis mudas de ropa a casa de Cat y no lograba decidir qué ponerse. Por fin optó por unos pantalones negros y un top también negro. Se veía muy sofisticada: aparentaba dieciocho años, más que catorce.

Cat se puso su vestido corto rojo y mi gargantilla, y estaba hermosa, como siempre. El nombre Cat le sienta bien, pues es un poco felina: morena, atractiva y serena. Mamá y yo habíamos comprado en Londres un vestido corto plateado con brillo, pero era demasiado para el baile de la escuela. Yo no estaba de ánimo para arreglarme mucho, de modo que me puse mis jeans y un top celeste de cuello alto.

–Cualquier cosa te queda bien –me dijo Becca, mientras tratábamos de aplicarnos brillo labial bajo la intensa luz fluorescente del baño de la escuela. No pude evitar pensar en lo diferente que era ese lugar respecto de mi casa, donde mamá había puesto velas con aroma a jazmín, flores y jabones perfumados en todos los baños. Aquí, el único aroma era el fuerte olor al desinfectante que utilizaba el personal de limpieza.

Mientras nos peinábamos frente a los espejos, entró Kaylie O'Hara con una de sus amigas, Susie Cooke. Cat me miró como diciendo: «Bueno, aquí vamos», pues Kaylie es de esas chicas que se adueñan del lugar, así sea el baño. Cuando ella llega, nadie más importa. Tiene que ser el centro de atención y, sin duda, es muy popular, especialmente con los chicos. Becca dice que es porque los chicos tienen fijación con los senos y ella tiene la delantera más grande de nuestro año. Siempre usa tops muy ajustados que dan la impresión de que sus senos intentan escapar. Es la más linda de su grupo, con su aire de muñequita, y sus amigas son todas clones de ella. Son cuatro: Kaylie, Susie, Jackie y Fran. Becca las llama «las Barbies». Cat las llama «los Clones». Son chicas muy femeninas de pelo rubio con reflejos. Usan mucho brillo labial y siempre se lo están retocando, incluso en mitad de la clase de matemáticas. Y, últimamente, a todas se les ha dado por hablar con voz susurrante. La primera fue Kaylie, que empezó hace unas semanas, y ahora todas lo hacen. Supongo que piensan que al hablar así parecen más sexis, pero yo creo que parecen más tontas. Cat opina que ellas son lo más tonto que hay. Becca, a su manera nada sutil, dice que seguramente todas se casarán con hombres muy ricos pero muy estúpidos. «De esos a quienes les gusta tener una mujer deslumbrante a su lado para impresionar, pero no les importa que sea una cabeza hueca.»

–«Hoy es la noche» –canturreó Kaylie, acercándose al espejo, y empezó a aplicarse brillo labial.

–Pareces contenta –observó Becca.

Kaylie le guiñó un ojo a Susie.

–Por supuesto. Acabo de recibir una noticia interesante. Muy interesante.

–Bueno –dijo Becca, que nunca se reprimía cuando quería saber algo–, cuéntanos.

Kaylie sonrió.

–Ah, bueno... –Y luego empezó a cantar otra vez–. «Hoy es la noche...»

Becca se encogió de hombros y empezó a caminar hacia la puerta.

–Está bien –dijo Kaylie, haciendo pucheros–. De todos modos, pronto se enterarán. –Se cruzó de brazos y se recostó contra el lavabo–. Jonno Appleton cortó con Rosie.

–¿Eso es todo? –preguntó Becca–. ¿Qué tiene eso de importante?

–Que está disponible, tonta –respondió, y levantó una ceja–, aunque no por mucho tiempo, si me salgo con la mía.

Cat me miró como diciendo «No me digas», y luego se volvió hacia Kaylie.

–Pero a veces la gente necesita un poco de espacio cuando acaba de cortar con alguien. Tal vez aún no está listo.

Kaylie se dio unos golpecitos al costado de la nariz.

–No te preocupes. Sé cómo hacerlo. De hecho, ya lo tengo todo previsto. Tengo un pequeño plan.

Supongo que suspiré cuando ella dijo eso, porque se volvió hacia mí.

–¿Acaso no me crees capaz? –preguntó, con voz tensa.

–No, yo... no era eso... –balbuceé.

No había tenido la intención de menospreciarla. Sólo pensaba adónde habían ido a parar todos mis planes respecto de Michael. Pero no iba a decirle eso a ella. Kaylie me intimidaba. Es de esas chicas que parecen amistosas, pero tienes la sensación de que, si les dices algo equivocado, pueden volverse muy malas. Nunca tuve un desacuerdo con ella, pero la he visto ser muy sarcástica con un par de chicas de nuestra clase. Por suerte, esa noche parecía estar de buen humor.

–No importa –dijo. Sacó un rociador para el pelo y empezó a aplicárselo generosamente. Un poco me entró en el ojo–. Oh, cuánto lo siento, Lia. ¿Te salpiqué? Fue sin querer.

–No te preocupes –respondí, frotándome el ojo. Juro que lo hizo a propósito, pero no pensaba decirle nada.

Kaylie retrocedió y se miró al espejo.

–Esta noche, Sr. Appleton, serás mío, todo mío.

Susie rió y se echó el pelo hacia atrás.

–No tiene escapatoria, pobre tipo.

En ese momento, entró Annie Peters y se paró junto a Kaylie frente a los lavabos. Me agrada Annie. Está en undécimo año y es un tanto peculiar. Hace lo que le gusta; tiene un estilo hippie y es brillante en arte, especialmente en fotografía.

–Qué lindo reloj –le dijo a Kaylie mientras se aplicaba sombra color verde musgo en los ojos.

Kaylie sonrió, complacida.

–Gracias. Es un *Cartier*.

–¿Genuino? –preguntó Annie, tomando la muñeca de Kaylie.

–Sí, claro. Me lo trajo mi hermano de Tailandia. Es bonito, ¿no?

Annie examinó el reloj y asintió.

–Sí, claro. Aunque hay una manera de saber si es genuino.

–¿Cómo? –preguntó Kaylie, y yo empecé a caminar hacia la puerta. Mejor me voy, pensé, porque yo tenía el mismo reloj. Me lo regaló papá la última Navidad y no tengo dudas de que es genuino, porque estuve con él cuando lo compró en *Cartier*, en Londres.

–Fácil –respondió Annie–. Mi papá le regaló uno a mamá cuando cumplieron veinte años de casados. Ella dijo que se puede saber si es un original observando uno de los números, creo que el V, bajo una lupa. Si es genuino, se ve la palabra «Cartier» escrita en letras diminutas.

Hice una seña a Becca para que nos fuéramos, pero era obvio que quería quedarse a ver qué pasaba. Annie hurgó en su bolso.

–Por aquí tengo una lupa, en alguna parte. Veamos.

Sacó su lupa, la acercó a la muñeca de Kaylie y entrecerró los ojos para examinar el reloj.

–No. No se ve ninguna palabra.

Me pareció una maldad de parte de Annie humillar así a Kaylie, pues obviamente estaba muy contenta pensando que tenía un *Cartier* auténtico. Para mí, no es importante. Un reloj es un reloj, lo importante es que marque la hora; pero quise decir algo para que Kaylie se sintiera mejor.

–A mí me parece genuino –dije–. Quizá sólo en un modelo en particular está escrita la marca en el V.

Grave error: todos los ojos se volvieron hacia mí. Los ojos de águila de Annie divisaron mi reloj de inmediato.

–Oye, tienes el mismo reloj –observó, antes de que pudiera esconder el brazo a mi espalda–. Qué casualidad. A ver, déjame ver el tuyo, Lia.

Rápida como un rayo, me tomó la muñeca y se puso a examinar mi reloj.

–Sí –dijo–. Aquí está. Muy pequeñito. ¿Quieres ver, Kaylie?

–Creo que paso –respondió, malhumorada, encaminándose hacia la puerta–. Dejo esas pequeñeces para las mentes pequeñas.

–Buena suerte con Jonno –le dije, tratando de romper el clima áspero.

–Sí, claro –respondió. Luego me sonrió. Pero lo hizo con la boca, no con la mirada. Será bonita, pensé, pero tiene cierta dureza. Obviamente, no es alguien con quien convenga llevarse mal.

La música sonaba fuerte en el salón donde se llevaba a cabo la fiesta. Ya había gente bailando y divirtiéndose, y la algarabía era contagiosa. Pronto olvidé el incidente del baño; Becca y Cat me arrastraron a la pista y nos pusimos a bailar. Luego se nos unieron Mac y Zoom y, al cabo de un rato, empecé a pasarla bien. Zoom es un bailarín brillante cuando quiere, pero estaba de humor para hacer payasadas y se puso a bailar al estilo hawaiano, después griego, egipcio y, por último, ruso, con flexiones de rodillas y puntapiés incluidos. Entonces se cayó.

–Y ahora, para que los profesores no se sientan excluidos, tendremos una sesión de antiguos éxitos –anunció el disc-jockey–. Aquí va, para los viejitos, un gran tema de los Beatles: *Can't Buy Me Love*.

Los profesores, que estaban reunidos junto a la mesa de las bebidas, sonrieron con aire cansado y siguieron conversando.

Mientras bailábamos, pensé qué cierto era eso que decía la canción de que el dinero no puede comprarnos amor. Tampoco puede comprar un momento de diversión. Como allí, en ese salón. La decoración era barata y de muy mal gusto. Había algunos globos en las paredes y colgaba del techo una vieja bola espejada, que reflejaba las luces, y eso era todo, pero no impedía que todo el mundo estuviera súper entretenido. Habrá costado unas cinco libras, pensé, mientras que la fiesta de mamá debe haber costado miles.

Después de algunas canciones, fuimos a buscar una bebida y Becca me codeó.

–Allá –susurró–. Kaylie conquista a su hombre.

–O no –repuso Cat, mirando también–. Creo que no va a lograrlo.

Miré en la dirección indicada y vi a Kaylie en el otro extremo de la mesa de las bebidas. Intentaba desesperadamente llamar la atención de Jonno, pero a él parecía interesarle más conversar con uno de sus amigos del equipo de fútbol. Ella se echaba el pelo hacia atrás y sacaba pecho, pero no lograba que él se fijara. Cuando empezó a sonar otra canción de los Beatles, lo tomó del brazo y trató de llevarlo hacia la pista de baile, pero él meneó la cabeza y se apartó en busca de una bebida.

Cat, Becca y yo tomamos un jugo de naranja y luego volvimos a la pista a reunirnos con Mac y Zoom, que ahora estaban bailando como en los años sesenta, al estilo de Austin Powers. Empezamos a hacer lo mismo y estábamos riéndonos mucho cuando alguien me tocó el hombro. Al darme vuelta, vi un rostro apuesto que me sonreía.

–¿Quieres bailar? –me preguntó Jonno Appleton.

Por encima de su hombro, vi que Kaylie nos observaba desde la mesa de las bebidas. No estaba nada feliz.

4
Empieza la fiesta

Salimos de la escuela como a las diez y nos apiñamos en la camioneta del padre de Zoom. Siempre nos llevaba a todos cuando necesitábamos ir a alguna parte.

–No les importa viajar incómodos, ¿verdad? –preguntó el Sr. Squires, mientras extendía en la parte trasera una manta vieja que apestaba a gasolina.

Me acomodé entre Becca y una caja de herramientas.

–No, claro que no. Esto está de moda, ¿no lo sabía?

–Seguro que en Londres nunca viajabas así –me dijo Becca.

–Sí, por supuesto que sí –mentí. No quería que Zoom o su padre pensaran que era una delicada. No me molestaba en absoluto viajar así, pero lo cierto era que, en mi antigua escuela, todo el mundo se movía en taxi. Una noche, el padre de mi amiga Gaby incluso mandó a su chofer a recogernos y llevarnos al teatro en su *Bentley*. Fue fantástico. Su papá es político y el auto tenía los vidrios oscuros y a prueba de balas, o al menos eso dijo Gaby. Sea como fuere, nos sentíamos como en una película de James Bond.

Mac subió de un salto y se sentó recostándose contra Becca como si ella no estuviera allí.

–¡Eh, los asientos son un poco incómodos, amigo! –le dijo, bromeando, a Zoom.

–Sal de aquí –protestó Becca, empujándolo de manera tal que fue a dar contra Cat, que quedó aplastada en el rincón.

–Sal tú –dijo Cat, y volvió a empujarlo hacia Becca.

Mac dejó su cuerpo flojo y se tendió sobre las dos.

–Ah, pobre de mí. Otra vez a merced de dos mujeres despiadadas.

–Ven adelante conmigo, loco –rió Zoom.

Mac bajó y cerró la puerta trasera antes de acomodarse adelante con Zoom.

Qué noche extraña, pensé. De hecho, qué día extraño. Primero ninguna tarjeta de San Valentín, y luego aparece una sobre mi cama. Aún no sé quién la envió, pero supongo que puedo tachar a Michael de la lista. Tal vez mamá. Es el tipo de cosa que ella haría. Ningún chico de la escuela se interesaba por mí, y después uno viene directo hacia mí. Bailé una canción con Jonno y fue muy provocativo, me tomó por la cintura y todo eso, pero yo estaba tan consciente de que Kaylie me horadaba con la mirada que no pude soltarme y disfrutarlo. Al final, inventé un pretexto y volví a bailar a lo payaso con mis amigos.

–Estás loca –me dijo Becca cuando ya estábamos llegando a mi casa y se abrieron los portones–. Jonno es divino.

–Lo sé –respondí–, pero no quiero problemas. Kaylie ya le echó el ojo. Oíste lo que dijo en el baño.

–¿Y qué? Eso no significa que estén juntos –insistió Becca–. Cualquiera se habría dado cuenta de que a él no le interesaba. Sólo tenía ojos para ti.

Meneé la cabeza.

–No vale la pena. No quiero tenerla como enemiga.

Becca suspiró.

–Pues peor para ella. No puedes dejar que una chica como Kaylie O'Hara te maneje la vida. Fíjate en lo que tú quieres que pase, no en lo que ella piense.

–Sí... eso haré –respondí–. De hecho, en el baile, invité a algunos chicos de undécimo año a la fiesta.

–¿En serio? –preguntó Cat–. ¿A quiénes? ¿A Jonno?

–No. A Jonno, no. A Seth y a Charlie, de tu clase, Zoom.

–Sí. Son buena gente –respondió Zoom–. ¿Te gusta alguno de ellos?

–No. Pero pensé que al menos debía realizar un esfuerzo por hacer nuevos amigos. Nuevo comienzo, nuevo capítulo y todo eso.

En el baile, había decidido que era hora de conocer mejor a algunos de los chicos locales, especialmente porque todos mis estúpidos sueños respecto de Michael habían sido un fracaso.

–En ese caso –dijo Mac– qué mejor manera de empezar una nueva etapa que con una breve ronda de Verdad, Consecuencia, Beso o Promesa...

–Nooo –rezongó Cat–. Eso siempre nos mete en problemas.

–Sí, juguemos –dijo Becca, y luego sonrió–. Sólo que, por ser el Día de San Valentín, hay una sola opción: Beso. Lo siento.

–Y ¿a quién hay que besar, Cupido? –preguntó Cat.

–No me pidas que bese a Seth ni a Charlie, por favor –rogué.

–Bueno, Mac, tú debes besarme a mí y yo, a ti –dijo Becca–. Cat, a ti te lo haré fácil: debes besar a Ollie.

Cat sonrió.

–No hay problema.

–Ahora veamos. ¿Y Zoom? –preguntó Becca.

–¿Y si lo decido yo a su debido tiempo? –sugirió Zoom–. No me gusta apresurar estas cosas. Déjenme pensarlo.

Estaba a punto de decir: «Yo también quiero decidirlo a su debido tiempo» cuando Becca prosiguió.

–De acuerdo, pero Lia tiene que besar a Jonno Appleton.

–No, vamos, no seas así –protesté.

Becca meneó la cabeza.

–Lo siento, ya está decidido. Si vas a ser tan tonta como para dejarte intimidar por Kaylie, necesitas un empujoncito de nuestra parte. Levanten la mano todos los que estén a favor de que Lia bese a Jonno.

Mac, Cat y Becca levantaron la mano.

–Dejen que ella decida –opinó Zoom, mientras llegábamos a casa.

–Lo siento, Zoom, somos tres contra uno. Lia, ¿dijiste, sí o no, que te gustaba Jonno Appleton? –me preguntó Becca.

–Sí, pero elijan a otro, por favor...

–Bueno, ¿quién más te gusta? –insistió Becca mientras el Sr. Squires aminoraba la velocidad y estacionaba entre un *Porsche* y un *BMW*.

De ninguna manera pensaba admitir que, en secreto, me gustaba Zoom.

–Nadie, en realidad.

–Entonces, ¿el único que te parece que vale la pena es Jonno?

–Supongo que sí –respondí, y luego miré a Mac y a Zoom, que son también muy atractivos a su manera. Mac es rubio, de rasgos finos, y Zoom tiene cabello castaño rizado, un rostro franco y simpático, y una bellísima boca sonriente–. Además de los aquí presentes, claro.

–En ese caso, está decidido –dijo Becca–. Es mejor besar a alguien que te gusta y no que te obliguen a besar a quien no quieres. Todo saldrá bien, Lia. Hay que vivir peligrosamente.

–De acuerdo, pero lo haré cuando yo crea que llegó el momento –accedí.

–Bien –dijo Becca, y sonrió–. Tienes diez minutos. No, era una broma. Tómate tu tiempo.

Cat me dirigió una sonrisa y miró a Becca como diciendo «¿Qué se le va a hacer?» Yo también le sonreí. A veces no se puede discutir con Becca. Y quizá no fuera tan malo si alguna vez me encontrara con Jonno a solas.

Mamá había dejado unas máscaras fantásticas para nosotros sobre mi cama.

–Y hay más abajo, en el vestíbulo –dije–. Mamá las puso en una canasta junto al hogar para los invitados que no trajeron.

–No, éstas son perfectas –dijo Becca, probándose una máscara plateada frente al espejo.

Las chicas eligieron las máscaras bonitas. Becca optó por una de cara completa, blanca con un delicado adorno de lentejuelas doradas en las mejillas, labios dorados y rizos rubios de papel. Cat también eligió una completa con diamantes rojos y dorados pintados en las mejillas, piedritas de strass verde alrededor de los ojos y una gran pluma roja. Zoom escogió una media máscara negra con nariz ganchuda. Como llevaba puesta su chaqueta larga de cuero negro, la combinación le daba un aspecto bastante siniestro. Mac, para no quedarse atrás, también eligió una máscara temible: roja con un pico de ave por nariz. No resultaba tan efectiva como la de Zoom, pues Mac tenía puestos jeans y una chaqueta con cuello de cordero. Yo opté por una máscara de Pierrot: blanca, con ojos tristes, labios rojos y una lágrima pintada en la mejilla. En cierto modo, reflejaba mi ánimo de aquel día. Parecía que nunca podría estar con un chico que me gustara. El hermoso Michael estaba ocupado; involucrarme con Zoom sería muy complicado, y aceptar a Jonno sólo me traería problemas. Sí, la máscara de Pierrot sería perfecta.

Cuando estuvimos listos, bajamos a la fiesta. La mayoría de los invitados ya habían llegado, pues eran casi las once y, mientras avanzábamos entre ellos, era difícil saber quién era quién.

–¡Vaya! –exclamó Mac, observando la lujosa decoración de la enorme tienda. Realmente había quedado alucinante: era como ingresar a un mundo donde todo era rojo y dorado. En verdad, mamá se había superado. El ambiente estaba iluminado por la suave luz de las velas y, en un rincón, había un trío de músicos vestidos a la usanza del siglo dieciocho tocando música clásica. Las columnas estaban envueltas en seda y todas las mesas estaban adornadas con enormes arreglos de flores y uvas. Todo creaba un efecto muy suntuoso y romántico. Hasta había una escultura en hielo de un león al que le salía vodka por la boca.

El trío clásico terminó de tocar y poco después empezó a sonar por los altavoces uno de los éxitos de papá de los años ochenta. Ollie apareció y se llevó a Cat a bailar, y luego, claro, Mac hizo lo mismo con Becca.

–¿Estás bien? –preguntó Zoom, que ya tenía lista su cámara de video para filmarlo todo.

Zoom quiere ser director de cine cuando termine la escuela y, desde que lo conozco, jamás lo he visto sin su cámara. La lleva a todas partes y tiene en su cuarto una pared llena de material grabado. El año pasado, mamá le pidió que filmara nuestra fiesta de Navidad, y quedó tan complacida con el resultado que le pidió que filmara ésta también.

Asentí.

–Sí, claro. Ve a filmar.

Cuando Zoom se fue, me senté en una de las mesas y comí unas uvas. Parecía que todos estaban divirtiéndose. Cat con Ollie, Mac con Becca, mamá con papá, Michael con Usha, y Estrella, que había venido de Londres con un nuevo novio. Me sentía como un repuesto, sentada allí sin nadie con quien bailar, pero pronto papá me vio y me llevó a la pista. Después de algunas canciones, tuvo que ir a saludar a unos amigos que habían llegado, de modo que volví a sentarme. Esperaba que Estrella se acercara a saludarme, pero parecía estar muy ocupada con su novio. Igual que a Ollie, a ella nunca le faltan admiradores. Supongo que yo soy la distinta de la familia; de hecho, papá suele bromear al respecto. Dice que soy la oveja blanca porque, en comparación con todos ellos, soy tímida, mientras que los demás son extrovertidos y súper seguros de sí mismos. A veces pienso que debo ser una decepción para ellos. Todos son tan sociables y populares. Ollie con las chicas, Estrella con los muchachos y, por supuesto, papá, con su enorme club de fans. Y después vengo yo. No es que no sea sociable, sino sólo que soy más tímida que ellos… hasta que conozco mejor a la gente. Por eso, en parte, me gustaba tener un grupo grande de amigos en mi antigua escuela. Éramos tantos que nadie reparaba en que yo era más callada que el resto.

Justo cuando empezaba a darme un poco de vergüenza estar ahí sentada, vi llegar a Seth y a Charlie. Al menos tendría con quién conversar, pensé. Estaba a punto de acercarme a ellos cuando alguien me tocó el hombro. Era uno de los magos a quienes mamá había contratado para que circularan entre los invitados haciendo trucos. Tenía puesta una media máscara y una capa, y sacó de su manga un billete de cinco libras y un cigarrillo. Levantó el billete, encendió el cigarrillo y, con él, hizo un agujero en el billete, pero cuando pude examinarlo, no había rastros del agujero. Fue asombroso.

–¿Cómo hiciste eso? –le pregunté. Yo lo vi quemar el billete y estaba cerca, me habría dado cuenta si lo hubiese reemplazado por otro.

Sonrió.

–Es magia.

En ese momento, otro hombre que llevaba una máscara completa y una capa lo tocó en el hombro y le dijo algo. El primer mago asintió y se apartó.

–¿Quieres ver otro truco? –preguntó el hombre.

Asentí. Sacó un billete de cinco libras y un cigarrillo, y lo encendió.

–Eh, tu amigo acaba de hacer ese truco –le dije.

Demasiado tarde. El mago presionó el cigarrillo contra el billete, pero esta vez, en lugar de atravesarlo, ¡lo incendió!

–Oh, no –exclamó, mientras dejaba caer el billete al suelo y lo pisaba–. Parecía más fácil de lo que es.

Eché a reír al reconocer la voz.

–Jonno –dije.

Se quitó la máscara.

–Hola, Lia. Sabía que eras tú debajo de esa máscara. Seth y Charlie me dijeron que los habías invitado. Están por allá, junto a la escultura de hielo. De hecho, creo que a Seth se le pegó la lengua al hielo... Espero que no te moleste que yo, eh...

–¿Que te hayas colado? –le pregunté.

Puso cara de culpable.

–Sí, y que casi haya incendiado la tienda. –Jonno sonrió con aire descarado–. Eh... creo que mejor me voy...

Eché un vistazo a la pista de baile, donde todo el mundo estaba bailando al son de una de las canciones de Sting. ¿Lo hago, no lo hago?, me preguntaba. Jonno seguía mirándome como tratando de discernir si me molestaba su presencia allí. Era muy atractivo, con un estilo similar a Keanu Reeves... ¿por qué no?, pensé. Kaylie no está aquí. Jonno es tan lindo, ¿por qué no pasarlo bien con él? Me puse de pie, lo tomé de la mano y lo llevé a la pista de baile. Me acercó a él y me rodeó la cintura con sus brazos.

–Esto es un poquito diferente del baile de la escuela. –Sonrió, y luego se inclinó y me besó suavemente en los labios–. Feliz Día de San Valentín –me susurró al oído.

Por encima de su hombro, vi a Becca. Estaba con Mac y Charlie, que trataban de separar a Seth de la escultura de hielo. Me miró y me hizo una seña con el pulgar levantado.

5
Empiezan los problemas

Todo empezó el lunes siguiente, en la escuela. Yo estaba en el pasillo, camino a la clase de arte, y Kaylie venía en la dirección opuesta con Fran. Iban hacia la clase, pero Kaylie se desvió y vino a dar de lleno contra mí, con lo cual se me cayeron los libros.

–Ay, cuánto lo siento, Ophelia –dijo, con una sonrisa falsa–. No me fijé por dónde iba.

–No te preocupes –respondí, mientras recogía mis cosas–. Y, por favor, llámame Lia. Nadie me llama Ophelia.

Mis padres me bautizaron Ophelia Moonbeam, que significa «rayo de luna». Qué mal gusto. Nunca uso ese nombre pues todo el mundo me llama Lia y jamás se lo cuento a nadie, pero el primer día de clases lo leyeron completo. No pensé que nadie hubiera reparado en eso. Pero Kaylie, asombrosamente, sí parecía recordarlo.

–Pero así te llamas, ¿no? –insistió Kaylie.

–Sí, pero... –empecé a responder, aunque luego decidí enfrentarla con lo que seguramente la estaba molestando–. Mira, acerca de Jonno. Yo no quise que pasara nada. Él sólo...

–Sí, sí...

–Él me buscó.

–Eso no fue lo que vi. No te le despegaste en el baile de la escuela.

–Eso no es cierto. Él se acercó. De hecho, traté de mantenerme lejos, porque sabía que a ti te gustaba.

–Claro, y por eso estuviste besándolo más tarde, en la fiesta de tus padres –replicó Kaylie, echándose el pelo hacia atrás–. De todos modos, él se lo pierde.

–Bueno, sólo quería que supieras que no lo busqué.

–No me digas. Eso no es lo que me dijeron. Pero no te preocupes, todo el mundo sabe que le rogaste que fuera a tu fiesta.

–No es cierto –repuse–. Ni lo invité.

–Eso no fue lo que me dijo Seth.

–¿Seth? A él sí lo invité, y también a Charlie, pero Jonno vino con ellos.

Kaylie se puso un dedo bajo el mentón y fingió sorpresa.

–Ah, y qué casualidad que justamente los dos sean amigos de Jonno del equipo de fútbol.

–De verdad, Kaylie, no lo invité.

–Como quieras –dijo Kaylie–. Es tu versión. Pero todos ya te conocemos a ti y a tus cuentos, ¿no?

–¿A qué te refieres?

Kaylie se encogió de hombros y le hizo un gesto a Fran.

–A la razón por la cual tuviste que irte de tu antigua escuela.

–No sé de qué hablas. ¿Qué estás diciendo?

Kaylie me dirigió una de sus sonrisas falsas.

–Nada, Lia. Vamos, sólo estamos bromeando. Arriba ese ánimo. Francamente, eres tan... tan intensa. –Me puso la mano en el hombro y me dio un empujoncito–. No te tomes todo tan a pecho.

Dicho eso, se fue hacia la clase, con muchos aires. Sentí ganas de llorar. Estaba muy confundida. ¿Acaso mi reacción era exagerada? Sentía que Kaylie me había atacado, pero lo hizo con tantas sonrisas que no estaba segura. Quizá yo estaba imaginando cosas.

–Hola, Lia, ¿todo bien? –preguntó una voz detrás de mí.

Di media vuelta. Era Zoom.

–¿Qué fue todo eso? –preguntó–. Vi que Kaylie te llevó por delante. ¿Qué le pasa?

–Supongo que no le gusta perder. No está muy contenta con que Jonno haya venido conmigo y no con ella.

Zoom levantó los ojos al techo.

–Eso debe dolerle mucho, ¿no? Bueno, no le hagas caso y, si te trae problemas, me avisas, ¿de acuerdo?

Asentí.

–¿Así que andas con Jonno? –prosiguió Zoom–. ¿Están saliendo?

Sonreí.

–Bueno, apenas empezamos, pero... hasta ahora, todo bien. El sábado tenemos una cita. Todavía no sé bien adónde vamos.

Zoom me miró un momento con preocupación, y luego se volvió.

–Mejor me voy a clase –dijo–. Espero que todo te vaya bien, Lia. Mereces un tipo decente, alguien que realmente te valore. No dejes que una tonta te arruine las cosas.

–Gracias, Zoom. Eres un buen amigo.

Cuando se alejó por el pasillo, respiré hondo y seguí a Kaylie y Fran hacia el aula. Esperaba que no armaran un escándalo porque estaba saliendo con Jonno. Yo no tenía la culpa de que me hubiera elegido a mí y no a ella. Y no me arrepentía de nada. Lo había pasado muy bien con él en la fiesta e incluso volvimos a vernos el domingo. Vino a casa después del desayuno y estuvimos hablando durante horas: sobre la escuela, sobre la música que nos gusta y lo que queremos hacer cuando terminemos la secundaria. Él quiere entrar al mundo de la música, y me hizo un montón de preguntas acerca de cómo era ser hija de una estrella de rock. Se quedó a almorzar con nosotros y lo impresionaron mucho los discos de oro de papá. Incluso papá le mostró su estudio, cosa que no hace con mucha gente. Creo que se dio cuenta de que Jonno toma muy en serio su idea de dedicarse a la música. Me gusta mucho. Era obvio que estaba muy impresionado por papá, pero aun así me prestó mucha atención y parecía realmente interesado en mis cosas.

Al diablo contigo, Kaylie O'Hara, pensé mientras me sentaba a una mesa con Cat y Becca. No dejaré que manejes mi vida.

La siguiente clase era la de inglés, y me aseguré de salir primera del aula de arte y me encaminé con prisa por el corredor para que Kaylie y los Clones no pudieran llevarme por delante «accidentalmente» otra vez.

–Vas muy rápido –observó Cat, al alcanzarme–. ¿Por qué tanta prisa?

–No, nada –respondí–. Sólo quería revisar unas notas antes de que empiece la clase.

Cat me miró con cara de no creerme del todo, pero lo dejó pasar. No quise contarle sobre el encuentro con Kaylie antes de la clase de arte, porque tenía la esperanza de que no pasara de eso. Si lo hablaba con Cat y Becca, se pondrían de mi lado, querrían defenderme y sería peor. No, mejor dejarlo ahí, pensé, y todo pasará.

–Bien –dijo la Sra. Ashton, nuestra profesora de inglés, cuando todos estuvimos ubicados–. Primero les devolveré sus redacciones, y luego haremos un breve repaso para ver cuánto recuerdan de este semestre.

Comenzó a recorrer los pasillos entre bancos, repartiendo las redacciones.

–Felicitaciones –dijo, cuando llegó a mí.

Cat me miró y sonrió pero, detrás de ella, vi que Kaylie le susurraba algo a Susie Cooke y luego ambas me miraron y rieron.

Una vez que repartió todas las redacciones, la Sra. Ashton volvió a su escritorio.

–Algunos trabajos han sido de muy buen nivel y estoy muy satisfecha –dijo–. George Gaynor, felicitaciones. Sunita Ahmed, muy bien también. Lia Axford, excelente. Nick Thorn, continúa así. Becca Howard, has mejorado. Me alegra ver que al fin estás concentrándote en tu trabajo. –Luego hizo una pausa–. Lamentablemente, hubo algunas redacciones que... ¿cómo puedo decirlo? Necesitaban mejorarse, por no decir más. ¿Qué les pasa a algunos de ustedes últimamente? No voy a dar nombres, pero sabrán a quiénes me refiero por las bajas calificaciones, y los seguiré de cerca el resto del semestre.

Dirigió una mirada significativa a Kaylie y a los Clones, pero Kaylie se limitó a levantar una ceja y apartar la mirada.

La Sra. Ashton se acomodó las gafas y empezó a leer de una hoja que tenía delante.

–Bien. Primera pregunta. Completen la oración: *El Rey Salomón tenía trescientas esposas y setecientas...* ¿qué? Frances Wilton, ¿podrías dejar de mirar por la ventana y darnos la respuesta?

–Eh... setecientas carabinas, señorita.

Todo el mundo lanzó una carcajada.

–De acuerdo, ¿qué quiso decir ella? –preguntó la Sra. Ashton, mirando alrededor.

Laura Johnson levantó la mano.

–Concubinas –respondió.

La Sra. Ashton miró a Fran.

–Exactamente. ¿Qué diablos habría hecho Salomón con tantas carabinas?

Frances se puso muy colorada y miró su escritorio mientras la Sra. Ashton pasaba a la siguiente pregunta.

–*César fue asesinado en los idus de marzo. Sus últimas palabras fueron...*

Esta vez, Mark Keegan levantó la mano.

–Sí, Mark –dijo la Sra. Ashton.

–¿Paté, Brutus? –respondió Mark.

Nuevamente toda la clase echó a reír, y Mark sonrió ampliamente, feliz de que su respuesta hubiese resultado graciosa.

–Me da la impresión de que no estás tomando en serio este repaso, Mark –dijo la Sra. Ashton, y miró a su alrededor–. Algunos alumnos van a tener que cambiar su actitud o verán las consecuencias en sus calificaciones finales. Bien. ¿Alguien puede decirme cuáles fueron realmente las últimas palabras de César?

Miró a la clase. Yo sabía la respuesta, pero no quería quedar como una sabelotodo. Sin embargo, la Sra. Ashton me miró.

–¿Lia?

–Esteee... *et tu, Brute* –murmuré.

–Que significa: tú también, Bruto. Correcto. Pero sin el «esteee». Muy bien, Lia.

Kaylie miró a Fran Wilton y levantó las cejas. Debería haber respondido que no lo sabía, pensé. Ahora creerán que soy una tragalibros.

–Ahora veamos –dijo la Sra. Ashton, volviendo a sus preguntas–. Kaylie O'Hara. Aquí hay una para ti. Shakespeare... –Se acomodó las gafas y empezó a leer–. *¿Cuándo nació William Shakespeare?*

–El día de su cumpleaños –respondió Kaylie, como si fuera algo absolutamente obvio.

Una vez más, la clase entera echó a reír. Miré a Kaylie y vi que estaba ruborizándose. A diferencia de Mark, que había dado una respuesta graciosa adrede, tuve la impresión de que Kaylie creía haber dado la respuesta correcta.

–Por supuesto que nació el día de su cumpleaños, Kaylie –dijo la Sra. Ashton–. ¿Alguien quiere decirme en qué año fue?

Joss Peters levantó la mano.

–En 1564 –respondió.

–Correcto –dijo la Sra. Ashton, y se volvió nuevamente hacia Kaylie–. Bien, Kaylie, aquí hay una fácil para ti. Este semestre estudiamos *Romeo y Julieta. ¿Cuál fue el último deseo de Romeo?*

–Acostarse con Julieta –respondió Kaylie.

Eso provocó una inmensa carcajada, especialmente en los muchachos. Kaylie me miró con una expresión dura en los ojos, como si me retara a reírme también. Me mantuve seria.

–Creo que lo que quisiste decir fue que el último deseo de Romeo fue morir al lado de Julieta, Kaylie. Igual que Frances, debes prestar más atención a tu manera de expresarte.

Kaylie asintió con aire aburrido.

–Sí, señorita –masculló.

–Y ahora, la última pregunta –dijo la Sra. Ashton–. Jackie Reeves, creo que tú puedes contestar esto.

Kaylie miró a su amiga y suspiró como si los comentarios de la Sra. Ashton no fueran más que una gran pérdida de tiempo.

–¿*El compositor más famoso del mundo es...?* –preguntó la Sra. Ashton.

–Esteee... Bach. Eh... Handel –respondió Jackie, con desgano.

Se oyeron risitas desde el fondo del aula y la Sra. Ashton suspiró.

–¿Alguien quiere decirme qué está mal en esa respuesta? –preguntó.

Esta vez bajé la cabeza. Por suerte, Sunita Ahmed levantó la mano.

–Tiene que ser uno o el otro, señorita. El más famoso es Bach o Handel. No los dos.

Jackie miró a Sunita con ojos perversos y vi que, como yo, de pronto Sunita deseó haber mantenido la boca cerrada.

–Exacto –dijo la Sra. Ashton–. Pero he oído cosas peores. Una vez, un alumno me dijo que Handel era medio alemán, medio italiano y medio inglés... ¿Qué me pueden decir de eso?

Algunos se rieron, pero nadie habló.

–Vamos, chicos, no es difícil. Despierten. ¿Quién puede decirme dónde está el error? ¿Cat Kennedy?

–Eh... que no dan las matemáticas. Si era medio alemán, medio italiano y medio inglés, tendría que haber sido una persona y media.

–Correcto –dijo la Sra. Ashton–. Ahora escuchen todos, no quiero verlos cometer ese tipo de errores, no en mi clase. Demuestra que no piensan. Aquí tenemos alumnos como George, Sunita, Nick y Lia, que han marcado un nivel. Traten de aprender de ellos.

Al oír eso, las chicas del grupo de los Clones empezaron a reír con desdén y la Sra. Ashton las escuchó.

–Ya que todo esto te resulta tan gracioso, Susie Cooke, puedes responder la siguiente pregunta. *¿Delante de quién bailó desnuda Salomé?*

Susie se encogió de hombros como si no le importara.

–Vamos, Susie, lo vimos la semana pasada.

Vi que Kaylie le soplaba la respuesta a su amiga. Susie aguzó la vista tratando de leerle los labios y luego asintió.

–Delante de los héroes –respondió.

La Sra. Ashton levantó los ojos al techo.

–Delante de Herodes, Susie. No de los héroes.

Miré a Kaylie y otra vez estaba mirándome con odio. Era difícil no reírse de lo que habían dicho ella y los Clones, especialmente con toda la clase riendo a carcajadas. Tal vez Becca y Cat tengan razón, pensé. Kaylie y sus amigas serán populares y estarán a la moda, pero no son muy inteligentes. Miré fijo a Kaylie pensando: este es un juego para dos y no voy a dejar que me intimides. Al cabo de unos minutos, se reclinó en su silla y le susurró algo a Fran, que estaba detrás de ella. Fran me miró y rió. Aparté la vista. No valía la pena y yo no quería participar en esos juegos tontos. Lo único que quería era ir a la escuela, asistir a clases y no tener problemas con nadie. Lamentablemente, a juzgar por la expresión de Kaylie, ella no iba a permitírmelo.

De mal en peor
6

Al día siguiente, fui a la escuela decidida a no dejarme amedrentar por Kaylie y los Clones. Las aguantaría, les sonreiría y sería amigable. Pero ellas optaron por una nueva táctica. Empezaron a ignorarme por completo. Cuando las vi en el pasillo antes de entrar a clases, las saludé y todas miraron hacia otro lado como si hubiesen visto a la peste. Me sentí rara, como si fuera invisible o algo así.

−¿Qué les pasa? −me preguntó Becca, cuando notó que me habían ignorado.

−Nada −respondí−. Creo que Kaylie me odia por lo de Jonno.

−Dios mío, qué patética −dijo Becca, mirándolas con desdén.

De pronto, Kaylie se acercó y se ubicó entre las dos, dándome la espalda.

−Me enteré de que vas a ayudar a la Srta. Segal a producir la obra de fin de año −dijo.

−Así es −respondió Becca, moviéndose hacia la derecha para incluirme en la conversación.

Kaylie también se movió y volvió a darme la espalda.

−¿Ya sabes cuál va a ser?

Becca asintió.

−Aún no es oficial, pero es casi seguro que haremos *The Rocky Horror Picture Show*.

−¡Excelente! −exclamó Kaylie; hizo una seña a sus amigas y empezó a cantar una canción de esa obra.

Fran, Susie y Jackie se acercaron.

–*Rocky Horror*. Excelente. ¿Podemos participar? –preguntó Fran.

Me acerqué más al grupo, pero Susie volvió a moverse hacia la izquierda para excluirme del círculo.

Becca me miró con expresión preocupada.

–La selección se hará el sábado por la tarde en el salón principal –respondió.

–Genial –dijo Kaylie; luego retrocedió un paso y me pisó un pie.

–¡Ay! –exclamé.

–Ooh, cuánto lo siento, Ophelia. No te vi ahí atrás. –Luego me miró con aire presumido y se volvió hacia Becca–. Supongo que algunos van a querer sacar ventaja del hecho de que su amiga es la productora.

–Lo dudo –repuso Becca–. Ganarán los mejores, como siempre.

–Bien –dijo Kaylie–. Porque no queremos que nadie entre por sus influencias ni porque su padre está en el negocio de la música.

–Basta, Kaylie –dijo Becca–. Sabes bien que entran los que saben actuar. Los mejores para cada papel.

–No me digas –replicó Kaylie–. Bueno, ya veremos, ¿no?

–¿Qué está pasando? –preguntó Becca cuando se fueron–. Te estaban excluyendo por completo.

–Lo sé –respondí–. Ayer también estuvieron un poco raras conmigo, a decir verdad, pero no pienso dejar que me afecten.

–Bien hecho. No valen la pena. Entonces, irás a la selección, ¿verdad? Creo que será fantástico hacer *The Rocky Horror Picture Show*. Mac va a hacer el decorado y, por supuesto, Zoom va a filmar el espectáculo, así que será divertido, todos juntos.

Vacilé. No me hacía ilusiones de tener un papel protagónico porque no sé cantar, pero sí sé bailar y esperaba, tal vez, poder participar en el coro. Además, la Srta. Segal es mi profesora preferida. Es como que realmente comprende a la gente y puede lograr que cada uno exprese lo mejor de sí. Pero, si Kaylie iba a estar allá burlándose de mí en cada ensayo, no sería muy divertido.

–Aún no estoy segura –respondí.

Becca hizo una mueca.

–Si no quieres hacerlo por ellas, te voy a...

–Tú tampoco vas a hablarme –reí–. En ese caso, ya nadie va a hablarme.

Becca entrelazó su brazo con el mío.

–Jamás haré eso –dijo.

Decidí confiar en Becca. Si alguien podía entender qué malas pueden ser las chicas, era ella. Poco tiempo atrás, había tenido una pelea con la hermana de Mac, Jade, cuando las dos se presentaron en un concurso nacional que buscaba la «Princesa Pop». Jade puede ser la peor canalla cuando quiere, y se portó en forma muy poco amistosa con ella. Incluso engañó a Becca para que dijera por teléfono algo negativo acerca de otra participante, sin que Becca supiera que la chica estaba escuchando por otra extensión.

–La única razón por la que aún no me decido... –empecé a explicar–. Mira, yo sé que la gente del lugar habla de mi papá y de nuestra casa y todo eso, pero no quiero que eso afecte las cosas aquí, en la escuela. Sólo quiero ser normal, ser como todos los demás y, por ahora, hasta que Kaylie supere lo que la está molestando, eso me importa más que tener un papel en la obra escolar. ¿Entiendes?

Becca asintió, y luego meneó la cabeza.

–Entiendo, pero no te dejes pisotear. Las he visto hacerles esto a otras chicas antes. Tienes que enfrentarlas. No las dejes ganar. A mí no me molestan, te lo aseguro. ¿Quieres que hable con ellas?

–No –respondí–. Por favor. Sólo les darías más importancia, y después se burlarían de mí por habértelo contado. No. Por favor, no te metas. Déjame resolverlo a mi modo, ¿de acuerdo?

–Está bien –dijo Becca–. Pero ya sabes que, hagan lo que hagan, estoy de tu lado. ¿De acuerdo?

–De acuerdo –respondí.

De mi lado, dijo. Aunque agradecía su apoyo, me dio tristeza. Ya se trataba de ponerse de un lado o de otro. ¿Por qué no puedo ser como todo el mundo? ¿Tener amigos y que nadie repare en mí? Lo único que quiero es que me acepten.

El miércoles, en los vestuarios, las cosas empeoraron. Todos los Clones estaban en un rincón, cuchicheando y mirándome mientras me cambiaba para gimnasia. Era horrible. Parece que todas tienen tetas menos yo. Crecí en estatura hasta el metro setenta y tres, pero sigo teniendo las formas de un chico de nueve años. Becca es muy dulce. Me dice que tengo el cuerpo ideal para ser modelo y que ella quisiera ser como yo, pero creo que sólo lo dice para conformarme. Ya quisiera yo ser más como ella. Tiene una figura fantástica, con muchas curvas, aunque ella se cree gorda. Supongo que nadie está conforme con el cuerpo que tiene. Incluso Cat, que es perfecta, piensa que es demasiado baja.

Como los Clones no dejaban de mirarme, empecé a pensar que me había salido un seno de más o algo así. Entonces recordé lo que me había dicho Becca acerca de hacerles frente, de modo que di media vuelta y les pregunté:

–¿Qué miran?

Por supuesto, todas me dieron la espalda y se pusieron a mirar el piso o la pared... salvo Kaylie, claro. Ella se apoyó en el lado derecho de su cadera, miró con el mentón hacia mí y me dijo:

–Te crees muy importante, ¿no?

–No –repliqué–. ¿A qué te refieres?

–¿Por qué piensas que estábamos mirándote a ti? Tienes un problema, ¿sabes, Lia? Piensas que todo gira en torno a ti y no es así. La gente tiene otras cosas en qué pensar.

No supe qué decir, de modo que aparté la mirada. Una vez más, me sentía confundida. Sí habían estado mirándome, estoy segura, pero Kaylie se las había ingeniado para dar vuelta las cosas y decir que era yo quien tenía un problema. Quizá tuviera razón y sea verdad que empiezo a obsesionarme con ellas. Sin duda, en los últimos días había pasado mucho tiempo pensando en cómo manejarme con ellas. Tal vez sí paso demasiado tiempo concentrada en mí misma y en lo que los demás piensan de mí. Puede que sea yo. Tal vez sí tengo un problema.

A medida que pasaba la semana traté de convencerme de que no importaba, pero el jueves me sentía más confundida que nunca y aborrecía la idea de ir a la escuela por miedo a lo que fueran a hacer o decir.

Siempre me gustó la escuela pero, de pronto, me parecía una tortura que me veía obligada a soportar. Lo único que quería era llegar al final del día para poder irme a casa. Hacía lo posible por no cruzarme con ellas, pero es difícil, ya que compartimos tantas clases. Estaba segura de que no era mi imaginación. Cada vez que veía a los Clones, parecían ocupadas conversando con alguien, pero apenas yo llegaba, todas se callaban con aire culpable y a veces se reían. Me preguntaba qué estarían diciendo de mí, pero no me atrevía a preguntar por temor de que Kaylie volviera a decirme que era egocéntrica y que los demás tenían otras cosas de qué hablar además de Lia Axford.

El viernes fue la gota que colmó el vaso. Durante el recreo, me reuní con Cat y Becca y vi que las dos tenían unas tarjetas rosadas.

—Son invitaciones para ir mañana a casa de Kaylie —dijo Becca—. ¿Vamos después de las pruebas para la obra de fin de año?

—No lo sé —respondió Cat—. Digo, esas chicas no son precisamente nuestras mejores amigas y nunca antes nos invitó.

—Más razón para ir a ver cómo es —insistió Becca—. Seguro que irá mucha gente y además no tenemos otra cosa.

—Creo que puede haber otra razón por la que Kaylie tiene celos de ti, Lia —dijo Cat—. Antes de que tu familia llegara, las reuniones en casa de Kaylie eran legendarias. Creo que las fiestas de tu mamá le han quitado un poco de protagonismo.

—Eso es poco decir —repuso Becca—. Seguro que está furiosa, princi-palmente porque nunca la has invitado. De hecho, es probable que te envidie por todo lo que tienes y lo que eres. Tu papá es estrella de rock, tu mamá es ex modelo, vives en una mansión fabulosa, te vistes a la última moda...

—Tienes unos hermanos geniales —agregó Cat—. La lista es interminable.

—Pero yo no tengo la culpa de eso —dije—. No elegí a mis padres ni a mi familia...

—No, pero ella sí lo habría hecho, de haber podido —respondió Becca—. Y no tiene ni una pizca de todo eso.

—¿Por qué hace tantas fiestas? —pregunté.

—En parte, porque le gusta ser popular y ser "la anfitriona" le permi-te rodearse de gente —explicó Becca—. Además, su mamá trabaja por la noche en un hospital en Plymouth, de modo que casi siempre tiene la casa a su disposición.

—¿Y su papá? —pregunté—. ¿Él tampoco está?

Cat meneó la cabeza.

—Desapareció hace años. Dicen que huyó con una mujer que atendía un bar. El caso es que los fines de semana la casa está libre, y ¿dónde más se puede ir aquí en invierno? Por eso mucha gente va a casa de Kaylie.

—¿Sabrá su mamá para qué usa la casa? —pregunté.

—Lo dudo —respondió Becca—. Probablemente hace que sus Clones limpien después. Entonces, ¿aceptamos? Podría ser divertido si vamos juntas. ¿Qué dices, Lia? ¿Quieres ir?

—A mí no me invitó —respondí.

—¿Estás segura? —preguntó Becca—. ¿Por qué nos invitaría a nosotras y no a ti? Fíjate bien. Yo la vi dejando tarjetas en todos los escritorios. Quizá la tuya se cayó, ve a mirar.

No hizo falta. No después de la semana que había tenido. Tenía la sensación de que me había excluido a propósito. Era raro, porque no había hecho nada muy importante, como cuando un muchacho intimida a otro. Eso quizá sería más fácil de resolver, pensé. Si alguien te pega o te patea, no cabe duda: te está maltratando. Pero ¿esto? No estaba segura de lo que pasaba y me preguntaba si no sería todo fruto de mi imaginación. Lo que había pasado era muy sutil. Casi imperceptible. Las miradas secretas entre Kaylie y sus amigas, los cuchicheos y las risitas, y ahora, el hecho de no invitarme a la fiesta. Además, sentí que de ninguna manera yo podía presentarme a las pruebas para la obra. No tenía importancia, en realidad. Pero, por dentro, sentía que Kaylie me odiaba y me sentía muy mal.

7
Primera cita

–¿En qué piensas? –preguntó papá, y me sobresalté cuando apareció detrás de mí.

–Lo siento, estaba a kilómetros de aquí.

Era el sábado por la mañana y estaba sentada en la cocina, mirando por la ventana y repasando la semana mentalmente.

–Ya me di cuenta –dijo papá–. ¿Qué está pasando en esa cabecita? ¿Cómo estuvo la semana?

–Eh... bien.

–¿Seguro? No te veo tan bien como siempre, y esta semana estuviste más callada que de costumbre.

–No, en serio. Ningún problema.

–¿Todo bien en la escuela?

–Sí.

–¿Todo bien con Jonno?

–Sí, de hecho, viene esta noche. Vamos a salir.

–No pareces muy entusiasmada. Hoy es la primera cita, ¿no?

Asentí. Tenía razón. No estaba muy entusiasmada. Era como si, al crear una muralla en mi mente para que no entrara Kaylie, hubiese dejado afuera todo lo demás.

–Entonces, ¿qué te pasa, cariño? –preguntó papá–. Vamos, cuéntame. Cuando se vive en la misma casa, uno se da cuenta de que pasa algo.

–En serio, papá. No es nada. Sólo... ¿Tú crees que soy egocéntrica?

Papá rió.

–¿Qué clase de pregunta es esa? ¿A qué te refieres?

–¿Crees que siempre estoy pensando en mí?

Papá volvió a reír.

–Todos los adolescentes están obsesionados consigo mismos. Es la edad. Y, en cierto modo, todo el mundo lo hace. Es decir, tú vives en tu cuerpo, en tu mundo. Eres la única que puede ver las cosas a través de tus ojos, de modo que es normal que seas un poco egocéntrica.

Reí.

–Tal vez necesitamos otra palabra –prosiguió papá–. Digamos... automotivada. Eso suena mejor, más positivo. Pero ¿por qué lo preguntas, Lia? ¿Te preocupa algo?

Suspiré y traté de decidir cuánto contarle. A veces, si uno les cuenta cosas a los padres, se preocupan. Luego termina por ser peor el remedio que la enfermedad.

–Es que... bueno, en la escuela hay una chica y sus amigas, y creo que no les caigo muy bien. Nunca les hice nada malo, pero parece que me odian.

Papá acercó un taburete, me tomó la mano y me miró a los ojos.

–¿Te están maltratando, Lia?

–No. No. Ese es el problema. No me están maltratando. Pero casi parece que sí. No sé si soy paranoica o egocéntrica. Si estoy obsesionada por lo que los demás piensan de mí, cuando ni siquiera están pensando en mí... No lo sé. No te preocupes, papá, en serio. Ni puedo explicarlo con claridad. Es sólo que quiero ser como las demás. Ya sabes, es una nueva escuela. Pero algunos no quieren darme una oportunidad.

–Tal vez lo hagan por envidia –sugirió papá, señalando con un gesto de la mano nuestra amplia y moderna cocina–. Vivimos muy bien en comparación con la mayoría. Además, eres una chica muy linda...

–Sí, sí...

–En serio. Podría ser eso.

–No creo que esas chicas me tengan envidia. No estoy segura. A una de ellas la fastidió mucho que Jonno gustara de mí, pero esas chicas son muy populares y muy bonitas. Las reinas de la escuela. No creo ser una amenaza seria para ellas.

Papá asintió.

—Sí, pero tú conseguiste a Jonno y ellas, no. Podrían pensar que empezaste con Jonno, y después ¿qué?

—Nada. Sólo quiero ser común y corriente.

—En ese caso, lo siento, Lia. Nunca serás común y corriente, con tu belleza y tu personalidad. Y eres una chica inteligente. Por eso siempre te irá bien en la escuela si sigues siendo aplicada. Y nuestra vida, bueno, nadie puede decir que sea común y corriente, ¿verdad? A veces uno tiene que aceptar lo que le ha tocado en suerte y seguir adelante.

—Lo sé. Lo siento. Me preocupo por nada. Y, de todos modos, quizá sólo sea mi imaginación.

—Así que esas chicas te la están haciendo difícil... ¿Cómo, exactamente? ¿Te insultan? ¿Qué hacen?

Mi cerebro pareció quedar en blanco un momento, mientras intentaba pensarlo. En realidad, no podía contarle nada que pareciera tan malo. Alguien me había mirado fijo o no me había respondido el saludo. Nada importante. Qué tontería.

—Estoy segura de que todas hablan de mí, pero no cosas buenas. A veces me ignoran, pero otras veces, cuando entro al aula, todos se callan como si hubieran estado hablando de mí... esa clase de cosas.

Papá se levantó y fue a llenar el molinillo de café.

—¿Qué piensan Cat y Becca?

—Becca dice que tengo que hacerles frente, y a Cat no le he contado mucho. A decir verdad, no quiero involucrarlas. Ya sabes, podrían sentir que tienen que ponerse de mi lado y eso... Sólo quiero que todo termine.

Papá se acercó y me apretó el hombro con afecto.

—Entiendo perfectamente lo que sientes, cariño.

—¿En serio? ¿Cómo puede ser? ¿Alguien te trataba mal en la escuela?

–¿A mí? Jamás. Al que lo hubiese intentado, le habría dado un buen puñetazo. Pero entre varones es diferente. Si alguien es agresivo y quiere doblegarte, es muy claro lo que sucede. No. Fue más tarde, cuando empecé a hacerme un nombre en el mundo de la música, pero fue un maltrato distinto del que se da en las escuelas.

–¿Quién fue?

Papá fue hasta el refrigerador y sacó un poco de leche.

–La prensa –respondió, con expresión sombría–. Primero, hablan de ti como de la nueva estrella, y no se cansan de alabarte. Pero pueden darse vuelta, y cuando lo hacen, ¡cómo lo sientes! Te aseguro, Lia, que los periodistas pueden ser los peores matones, y pueden causar el éxito o la caída de cualquiera.

–Y ¿qué pasó?

–Yo estaba de gira por los Estados Unidos y hubo un artículo sobre una chica con quien yo supuestamente tenía un romance. Todas mentiras. Me senté a su lado en un bar y, al día siguiente, salió en todos los periódicos. Por supuesto, tu mamá se enteró y se puso furiosa. No sabía qué creer ni a quién. Cuanto más defendía yo mi posición, más culpable parecía. Tuve que aprender rápido, créeme. La mejor manera de manejarse con los periodistas, o con esas chicas de tu escuela, es no desperdiciar energía en ellos. No reacciones. No les respondas. No trates de defenderte, porque a veces no se puede ganar.

–Entonces, ¿qué se puede hacer?

–Decidir quiénes son importantes en tu vida y ser sincera con ellos. Mantente cerca, pero déjalos fuera del problema: de los chismes, de los rumores, de todo eso. Yo aprendí a mantener la calma en lo que respecta a la prensa. Pero en aquel momento, cuando era más joven, solía ponerme furioso por algunas cosas que escribían. Eran todas mentiras, pero pasaba noches sin poder dormir, especulando: ¿Qué pensará la gente? Tengo que contar la verdad, y cosas así. Guardar silencio con dignidad, eso es lo mejor. Ahora, sé con quiénes puedo contar y esas personas son las únicas que me importan. Ellas saben cómo son las cosas, y los demás pueden irse al diablo y pensar lo que quieran. La fama es inconstante. La prensa es inconstante. Parece que esas chicas de tu escuela son inconstantes. Creo que, de todos modos, no querrías tenerlas como amigas, ¿verdad?

Meneé la cabeza.

–Pues ahí tienes tu respuesta. No malgastes tu energía permitiendo que te afecten. Disfruta tu cita de esta noche. Además, tienes unos amigos estupendos que te quieren bien y son ellos los que importan. Siempre habrá otros a quienes no les gustes, hagas lo que hagas. Ignóralos. ¿De acuerdo, querida?

–De acuerdo –respondí.

–Bien, ¿qué te parece uno de mis capuchinos especiales con mucho chocolate?

–Perfecto –respondí. Me sentía mucho mejor después de hablar con papá. Él tenía razón. Había sido una tonta al dejar que todo aquello me afectara tanto. En adelante, Kaylie y los Clones podían hacer lo que quisieran. Yo tenía a mis amigos y mi familia, y ellos son los que importan–. Gracias, papá.

Más tarde, subí a tomar un baño y a prepararme para mi cita. Estaba ansiosa y me preguntaba adónde sugeriría Jonno que fuésemos. No había muchos sitios abiertos, a no ser los pubs, de modo que tal vez querría ir a Plymouth. Decidí esforzarme y pasé horas probándome diferentes atuendos y maquillándome. Mi primera cita desde Londres. No veía la hora.

Jonno llegó a las siete en punto, con un montón de chismes sobre las pruebas para *The Rocky Horror Picture Show* que se habían llevado a cabo en la escuela por la tarde.

–¿Te dieron el papel? –le pregunté, mientras íbamos al salón rojo. Él había hecho de Danny Zucko en *Grease* a fin de año, por lo que todo el mundo suponía que volvería a hacer el papel protagónico.

Meneó la cabeza y se dejó caer en un sofá.

–No, el papel del Dr. Frank N. Furter fue para Adam Hall.

–¿Te molesta?

–No. No me importa. Hacer el papel protagónico lleva mucho tiempo y, en realidad, lo necesito para concentrarme en otras cosas.

–Y ¿quiénes consiguieron los demás papeles?

–¿Conoces la historia?

–Vagamente. Unos chicos terminan en un castillo con un montón de personajes extraños.

Jonno rió.

–Es más o menos eso. Dan Archer hará de Brad Majors y Jessica Moon será Janet. Son una pareja de ingenuos a quienes se les descompone el coche y terminan en el castillo de Frank N. Furter. Ryan Nolan será Riff Raff, el sirviente jorobado, y Jade Macey hará de su hermana, Magenta.

–¿Y Cat?

–Creo que hará de Columbia, la fan que baila tap. Pero ¿dónde estabas? Pensé que irías.

–No, decidí dejarlo pasar por esta vez. Como bien dijiste, lleva mucho tiempo participar en una obra. Y Kaylie y sus amigas, ¿consiguieron papeles?

Jonno asintió.

–En el coro, creo. Lo cual es bueno, porque dudo de que sean capaces de memorizar un libreto más extenso. No son de lo más listas, ¿verdad? Una vez, cuando me pidieron que entrenara al equipo femenino de baloncesto, les dije que quería hablar de tácticas. Una de ellas, creo que era Jackie, pensó que me refería a las pastillitas de menta.

Reí, pero no estaba muy segura de que fuera una broma.

–A propósito, ¿te llegó la invitación a la fiesta de Kaylie? –preguntó.

Meneé la cabeza. No había pensado en asistir a la fiesta y esperaba que Jonno no quisiera llevarme.

–No. Pero... ve tú, si quieres.

—No, gracias —respondió, mientras se ponía de pie y se dirigía a observar un cuadro que estaba en la pared opuesta—. Qué buena pintura. Picasso, ¿no? Mi mamá tiene la misma lámina.

—Eh, sí, Picasso. —No le dije que el nuestro era el original, para que no pensara que estaba jactándome.

—No —prosiguió—, no me interesa Kaylie. Su grupo me parece un poco... —Imitó a una niñita caminando con tacones altos y jugando con su cabello—. Ya sabes, lápiz labial, cartera y zapatos en punta: no piensan en otra cosa.

Sí, pensé, y en cómo arruinarme la vida.

—Y ¿qué vamos a hacer esta noche? —le pregunté.

Jonno vino a sentarse a mi lado y me tomó la mano.

—Ah, bueno, de eso quería hablarte...

En ese momento, entró papá.

—Hola, Jonno —le dijo, y encendió el televisor—. No se preocupen por mí.

Jonno me miró y luego miró el televisor con aire de anhelo.

—Esteee... ¿y si nos quedamos aquí? Está lloviendo y me perdí el partido de la tarde... por las audiciones para la obra... y ahora, bueno, está el...

—Resumen del partido de Arsenal contra Manchester United —completó papá, frotándose las manos, y se dejó caer en el sofá.

Quince minutos más tarde, papá y Jonno estaban echados, sin zapatos, con los pies levantados, bebiendo sendas *Cocas* y mirando el partido.

—¡Diablos! —exclamó papá, y los dos se levantaron del sofá al unísono cuando casi hacen un gol. Cuando volvieron a sentarse, papá me miró con una de sus sonrisas desvergonzadas—. Creo que, después de eso, necesitamos otra —dijo, señalando su lata de *Coca*.

Aquello no era precisamente mi fantasía romántica, pensé, mientras me ponía de pie y me dirigía a la cocina en busca de bebidas. Mamá estaba dando de comer a los perros, cuando me acerqué al refrigerador.

Me sonrió.

—¿No van a salir?

–Arsenal versus Manchester United –respondí–. Creo que papá y Jonno acaban de descubrir que son almas gemelas.

–Ah –suspiró mamá–. Hay cosas con las que una no puede competir.

–¿Por qué papá tuvo que ir a mirarlo en el salón rojo? Hay otros cinco televisores en la casa.

–Pero ahí está el más grande. Lo compró especialmente para mirar fútbol. Sonido digital, pantalla gigante... dice que le da la sensación de estar ahí.

–No entiendo –dije–. ¿Qué les entusiasma tanto a los hombres de ir pateando una pelota de cuero por la cancha?

–Bienvenida al club –dijo mamá–. ¿Quieres oír un chiste sobre fútbol? Asentí.

–¿En qué se parecen un chico y un jugador de fútbol? –preguntó.

–No lo sé.

–En que los dos tratan de embocarla.

Reí, y luego giré la cabeza hacia la puerta. Oí que cantaban. Mamá rió.

–Mejor acostúmbrate. Los hombres tienden a portarse como niños cuando juega su equipo preferido. Pueden ponerse muy emotivos.

Nos acercamos por el pasillo hasta la puerta del salón rojo y, efectivamente, estaban cantando a voz en cuello. «Somos la mejor hinchada del país, la mejor afición del país, la mejor... cuando ganamos. Somos una sarta de canallas cuando perdemos, una sarta de canallas cuando perdemos, cuando perdemos.»

–Humm –dijo mamá–. ¿Quieres jugar al backgammon en la biblioteca?

–Cualquier cosa con tal de salir de aquí –respondí, riendo y tapándome los oídos.

Pasé el tiempo con mamá en la biblioteca mientras Jonno y mi papá se hacían amigos. En un momento, me asomé sigilosamente para ver cómo seguían, pero estaban conversando muy concentrados, analizando el partido. Cuando empezó la segunda mitad del programa, empezaron a cantar otra vez. Esta vez al son de «Gloria, Gloria, Aleluya». «Gloria,

Gloria, Man United. Gloria, Gloria, Man United», cantaban. «Gloria, Gloria, Man United. Vamos, Rojos, a ganar».

–Ah, la famosa estrella de rock y el aspirante a músico –bromeé desde la puerta–. Ojalá tus fans pudieran verte ahora, papá.

–Lo pasé de primera –dijo Jonno más tarde, cuando lo acompañé a la puerta–. Debemos repetirlo pronto.

–No me digas –respondí, y me dio un beso de despedida.

–La próxima semana juega Manchester United con Liverpool –dijo papá, desde la escalera.

–Por supuesto –respondió Jonno, saludándolo con la mano. El momento del beso se perdió, de modo que volví a entrar. Jonno ni siquiera parecía haberlo notado y se fue, sonriente.

Al diablo con mi primera cita, pensé, mientras me quitaba el maquillaje.

8
¿Correo basura?

La semana siguiente en la escuela, descubrí con alivio que los Clones parecían haber perdido interés en mí y la vida volvía a la normalidad. Más o menos. En casa, empezaron a pasar cosas muy extrañas.

El lunes, al volver de la escuela, tenía correspondencia. Un catálogo que publicitaba productos a base de aceite del árbol de té para combatir la transpiración excesiva y el mal olor corporal. No le presté atención, puesto que llega tanto correo basura, y lo tiré.

El martes, me llegó un catálogo de sostenes con relleno para mujeres de poco busto. Muy útil, pensé, considerando que soy plana como un *hot cake*. Una vez más, no le di importancia y pensé que nuestra dirección había llegado a alguna lista de correo. Aunque me extrañó que viniera dirigido a mí, que no era la dueña de casa.

El miércoles, recibí un catálogo de una compañía que vendía lápidas. No podía ser cosa de Kaylie, ¿o sí?, pensé. Ella no se tomaría el trabajo de hacer que me enviaran todo eso, ¿verdad? Me estremecí al recordar las cosas que había recibido. Un catálogo de productos contra el mal olor corporal, uno de sostenes con relleno y ahora uno de lápidas. Las insinuaciones eran terroríficas. Que yo olía mal, que no tenía busto y que pronto podría necesitar ser enterrada. No, no, me dije; nadie puede hacer algo tan horrible.

Esa noche, tuve que convencerme de que mis sospechas de Kaylie eran acertadas. A las ocho, llegaron dos pizzas a mi nombre y yo no las había encargado. El chico que las trajo insistía en que sí: tenía mi nombre, número de teléfono y todo. Mamá llamó al restaurante y, efectivamente, tenían todos mis datos. Le pagó al chico y se volvió hacia mí en el vestíbulo.

–¿Qué pasa, Lia? ¿Te quedaste con hambre después de la cena y no quisiste decir nada?

–No, claro que no. Si quisiera pizza, te lo diría, tú lo sabes.

–Entonces, si no fuiste tú, ¿quién encargó esto?

Kaylie O'Hara y sus amigas, pensé. Y estoy bastante segura de que ellas también tuvieron que ver con los catálogos. Mamá me vio vacilar.

–¿Acaso crees saber quién las encargó? –me preguntó.

–Tal vez...

–Ven, vamos a sentarnos y a tratar de llegar al fondo de esto.

Seguí a mamá al salón rojo y nos sentamos en el sofá. Mi mente giraba y giraba como una lavadora en proceso de centrifugado. ¿Qué iba a decirle? No estaba segura de que había sido Kaylie. Podía tratarse simplemente de un error en el sistema de la pizzería. Había una sola en los alrededores y ya habíamos ordenado allí antes, de modo que tenían registrados nuestros datos. Era posible que se hubiesen equivocado. Pero tenía la persistente sensación de que no era así, aunque no podía demostrar nada. Me sentía muy desdichada. Si Kaylie estaba haciendo esas cosas, las hacía de modo tal que no se la pudiera acusar. Podía ser que ella fuese vengativa, pero también que yo estuviese paranoica e imaginando cosas.

–¿Y bien? –preguntó mamá.

–No estoy segura –respondí–. Es que últimamente, en la escuela, una chica se la ha tomado conmigo. Pensé que había terminado, porque esta semana se portó bastante bien. Casi normal, pero tal vez no.

Mamá asintió.

–Tu papá me contó que alguien estuvo molestándote. Sabes que puedes acudir a cualquiera de nosotros dos, ¿verdad?

Asentí.

–Sí. Es que... no quería agrandar mucho el asunto.

–¿Ha llegado algo más fuera de lo común, Lia? Noté que hubo mucho correo para ti esta semana.

–Catálogos –admití–. Al principio pensé que era sólo correo basura, pero ahora...

–¿Qué clase de catálogos?

–Uno para gente con mal olor corporal, uno para mujeres sin busto y otro de lápidas.

–Lia –dijo mamá, consternada–. ¿Por qué no dijiste nada?

–Porque no estoy cien por ciento segura. Ya sabes cuánta basura nos llega: todo tipo de publicidad, desde ventanas hasta seguros de vida.

–Sí, pero todo eso llega para mí o para tu padre. No hay motivo para que esas compañías de venta por correo tengan tus datos. Si realmente se trata de esa chica, hay que detenerla. ¿Quieres que hable con algún profesor?

–¡No! –exclamé–. Dios mío, no, eso sería lo peor que podrías hacer. ¿Y si no fue ella? Quizá sea sólo coincidencia. Ya me ha acusado de ser egocéntrica...

–Una coincidencia, vaya y pase –repuso mamá, en voz baja–, pero no tantas.

Me horrorizó la idea de que mamá fuera a la escuela. Imaginé a los profesores reprendiendo a Kaylie, entonces ella haría correr la voz de que yo la había delatado, y seguirían hablando de mí a mis espaldas y burlándose con disimulo. No, mamá no debía ir. Decidí tratar de restar importancia al asunto.

–No es para tanto, mamá. En serio. Pensé que todo pasaría y tal vez así sea. Pero si realmente fue Kaylie quien ordenó las pizzas y tú fueras a hablar con los profesores, me dirían que soy una soplona.

–Pero Lia, querida, no puedes dejar que te haga estas cosas.

–Lo sé.

–Entonces, ¿qué quieres hacer?

–No lo sé –suspiré–. Realmente no lo sé.

–¿Yo conozco a esa chica? –preguntó mamá, abrazándome.

Meneé la cabeza.

–Lo dudo.

–¿Cómo se llama?

–Kaylie. Pero por favor, mamá, no hagas nada. Yo me las arreglaré.

–Bueno, pero me mantendrás informada de lo que pase, ¿sí?

–Claro –respondí. Era bueno saber que contaba con su apoyo, pero otra parte de mí sentía que estaba decepcionándola. Estrella era muy popular en la escuela y Ollie lo es en la suya. Y no es que yo no lo fuera. Les caía bien a muchos, pero sabía que eso podía cambiar si Kaylie seguía envenenando la mente de la gente con habladurías acerca de mí. Ya estaba observando que algunos en mi clase no eran tan amistosos como antes. Cómo detesto esto, pensé. Realmente lo detesto. ¿Por qué Kaylie no puede dejarme en paz? Sólo Dios sabe lo que estarán pensando todos.

Tenía que asegurarme de que mamá no empeorara las cosas.

–Yo hablaré con ella. Por favor, mamá, déjame resolverlo sola.

A la mañana siguiente, antes de la escuela, Meena me llamó al vestíbulo. Sostenía un enorme ramo de tulipanes.

–¿Para quién son? –le pregunté.

–Para ti. Mira, aquí está tu nombre. Pero no hay ningún mensaje.

Que no sea Kaylie otra vez, pensé, pero ella no me enviaría flores. Seguramente eran de Jonno, decidí, mientras tomaba el ramo. Qué dulce. Se habrá sentido mal por haberme desatendido el sábado. Fui a llamarlo enseguida.

–Pero... yo no te lo envié –dijo–. Lo siento. Debería haberlo hecho, supongo, pero no se me ocurrió. Parece que tienes otro admirador. Humm... no sé si me gusta eso. ¿Sin mensaje, dijiste?

–Ningún admirador –respondí–. Creo que sé quién puede haberlas enviado y, créeme, no tienes competencia. Te veo en la escuela.

Justo cuando iba a salir para la escuela, mamá me llamó a su cuarto.

–Me acaban de llamar de la florería, Lia. Dicen que ayer llamaste y ordenaste unas flores. Llamaron para preguntar si, en adelante, quería cambiar mi pedido semanal de azucenas blancas por tulipanes.

Meneé la cabeza.

–Lo siento, mamá. Creo que podría ser Kaylie otra vez.

Mamá suspiró.

–Querida, tenemos que hacer algo.

–Lo sé, lo sé –respondí.

Qué ganas de asesinar a Kaylie, pensé. Aunque quizás eso mismo era lo que ella buscaba: una confrontación, para poder negarlo todo y hacerme quedar como una tonta. Pero esto ya se me iba de las manos. Ya estaba involucrando a mi familia. Me pregunté qué más tendría que pagar mamá que fuera encargado a mi nombre.

Cuando llegué a la escuela, Kaylie, Jackie, Susie y Fran estaban en su sitio habitual, cerca de los radiadores, en el vestíbulo. Las vi mirarme cuando entré; después Kaylie dijo algo y todas rieron.

¿Cómo manejarlo?, pensé. Supongo que esperan que esté molesta o enojada. Pues bien, no les daré el gusto.

Sonreí al pasar junto a ellas.

–Hola. Hermoso día, ¿no?

Ja. Por un segundo, hubo una expresión de perplejidad en el rostro de Kaylie. No podía preguntarme si había recibido las flores, pues se identificaría como quien había estado enviándome cosas. Y, si yo no reaccionaba, ella nunca sabría si las había recibido o no. Sí, así debía manejarme. Ella podía negar que había hecho los envíos y yo podía negar haberlos recibido.

Lamentablemente, mi falta de reacción sólo provocó más a Kaylie. Fue al final de clases y la mayoría de los alumnos ya habían salido. Pregunté a Cat si podía prestarme un libro.

–Sí, claro. En mi bolso –respondió, señalando su mochila. Pero luego se apresuró a tomarla antes de que yo lo hiciera–. Eh, no, yo te lo daré.

Sospeché inmediatamente. Tenía algo que no quería que yo viera. Tal vez otra invitación a una de las fiestas de fin de semana de Kaylie. Eso no me importaba, pero sí que Cat me ocultara cosas.

Miré dentro de su mochila antes de que pudiera impedírmelo y vi, junto a sus libros, un papel rosa plegado. Kaylie siempre escribía en papel rosa. Lo saqué rápidamente y empecé a leerlo.

–No –dijo Cat–. Por favor, no leas eso. No quería que lo vieras.

Mi cara debió reflejar lo que sentí, porque Cat me apoyó el brazo en los hombros.

–Lia, ella no vale la pena. Nadie va a creer lo que escribió.

Decía:

A los alumnos de noveno año:

Si alguna vez se preguntaron por qué Lia Axford dejó su antigua escuela, esta es la explicación. La expulsaron por mentir e inventar historias sobre algunos compañeros acusándolos de hacer cosas malas. Tengan mucho cuidado con lo que diga de alguien, porque serán mentiras. Ella tergiversa los hechos para que la gente crea que todo tiene que ver con ella. Recuerden: Lia es MENTIROSA.

Sentí lágrimas en los ojos.

–¡No es cierto! –exclamé–. Cambié de escuela porque quería vivir en casa. Eso es todo.

Cat me abrazó.

–Lo sabemos, Lia. Por eso no queríamos que vieras la nota.

–¿Por qué se la tomó conmigo? No entiendo.

–Porque es perversa y rencorosa –respondió Cat–. Y te envidia porque tienes todo lo que ella quiere.

Levanté la vista y vi a Susie espiando por el panel de vidrio de la puerta del aula. Ni siquiera me molesté en tratar de disimular que estaba llorando. De acuerdo, pensé. Lo lograron. Me hicieron llorar. Ahora ve y cuéntale a tu líder. Dile que Lia está llorando y espero que todas se pongan muy contentas.

9
Momento de negociar

Decidí que tenía que actuar. Ponerle fin a todo eso. Y había una sola manera de hacerlo. Cat había dicho que yo tenía todo lo que Kaylie quería, y eso incluía a Jonno. Entonces la solución era sencilla.

—¿Cómo que no quieres que nos encontremos más tarde? ¿Por qué? —preguntó, cuando nos vimos al salir de la escuela.

—Mira, no es por ti, es por mí... —empecé a explicar.

—Es porque la semana pasada miré el partido con tu papá, ¿no? Sabía que era un error. Las chicas siempre odian que miremos fútbol. Mira, no volveré a hacerlo, si no quieres.

—No es eso, Jonno. No me molestó. En serio.

—Entonces, ¿qué es?

Aquello se ponía más difícil de lo que había esperado. No lograba encontrar una razón lógica. Sí quería estar con él.

—No tiene sentido, Lia. Vamos, háblame. Nos llevamos bien, ¿cuál es el problema?

—Es sólo que... las cosas están un poco complicadas. Tal vez podríamos salir más adelante. ¿En un mes, más o menos?

Jonno quedó perplejo.

—Ahora sí que no te entiendo. A menos que... ¿has estado viendo a otro y necesitas terminar con él?

—No. No hay otro.

—Entonces, ¿qué? Vamos. Esto es una locura.

En ese momento, pasó Becca.

–Llámame más tarde, Lia –me dijo.

–Bueno –respondí.

Jonno le hizo una seña para que se acercara.

–Oye, Becca. Lia no desea verme más y no quiere decirme por qué. Tú eres su amiga. ¿Puedes aclararme esto?

Becca se sorprendió y me miró, y luego a Jonno.

–Por Kaylie O'Horrible –respondió.

–¿Qué tiene que ver ella? –preguntó Jonno.

Becca me codeó.

–Creo que debes decírselo, Lia. Ella no puede manejarle así la vida a la gente.

–¿Qué pasa? –preguntó Jonno, que ya estaba totalmente confundido–. ¿Cómo que Kaylie no puede manejarle la vida a la gente?

–Ha estado molestando a Lia –respondió Becca–, porque tú estás saliendo con Lia y no con ella.

Jonno entrecerró los ojos y su expresión se volvió furiosa.

–¿Molestando? ¿Cómo?

–Desparramando mentiras sobre Lia, para empezar –dijo Becca–. Echando a correr rumores.

Jonno me miró.

–¿Por qué no me dijiste nada?

No supe qué contestarle. Me sentía dividida. Una parte de mí estaba aliviada, pues me había preocupado que él se hubiese enterado de la nota y se preguntara si yo era realmente una mentirosa. Otra parte sólo quería huir. Todo estaba sucediendo muy rápidamente. Sentía la cabeza vacía, como si me hubiesen quitado todo lo que tenía dentro. Vi que Jonno miraba detrás de mí y de Becca, hacia un grupo que salía de la escuela. Allí estaban Kaylie y los Clones. Apenas las vio, Jonno fue directo hacia ellas.

–Becca ¿por qué se lo dijiste? –le pregunté.

Becca pareció dolida.

–Mira, estoy de tu lado. No se puede dejar que esa clase de chicas se salga con la suya. Vi la nota que distribuyó en la clase. Tú, nosotros, tenemos que hacerle frente.

Me esforcé por oír lo que Jonno decía a Kaylie. Fuera lo que fuese, parecía acalorado y se juntó una pequeña multitud para ver qué pasaba. Jonno es, sin duda, el chico más popular de la escuela, y a Kaylie no le gustaría que le gritara en público. Cambiaba el peso de un pie al otro y miraba al piso como si quisiera que se la tragara la tierra. Jonno terminó lo que estaba diciendo y dio media vuelta. Mientras regresaba donde estábamos nosotras, se volvió y le gritó:

–No te metas más en mis cosas y madura, Kaylie. Yo decidiré con quién estoy, y no te elegiría a ti así fueras la última chica del planeta.

–Ya quisieras tú –le respondió ella. Pero se veía alterada.

Caramba, pensé, y se me hizo un nudo en el estómago. Y ahora, ¿qué? Sé que Becca tuvo buena intención. Sé que Jonno también la tuvo, pero ahora todo había salido a la luz delante de media escuela. Jonno llegó y me apoyó un brazo en los hombros. Mientras empezábamos a caminar, eché un vistazo a Kaylie, que me dirigió una mirada cargada de odio. Si las miradas pudieran matar, pensé, yo ya estaría enterrada. Fue horrible. Todo el mundo nos miraba y supe que en media hora ya lo sabría toda la escuela. Se acabó eso de ser como los demás y mantener un perfil bajo, pensé. Ella ya no me lo permitirá.

Aparentemente, Jonno pensaba que su «charla» con Kaylie había puesto fin a mi idea de terminar con él. Y, sinceramente, ya no me importaba. Estuviera con Jonno o no, ya era demasiado tarde. Kaylie había sido humillada en público. Se había declarado la guerra y, aunque no lo había hecho yo directamente, sí había quedado en la línea de combate, me gustara o no.

Jonno y Becca se quedaron conmigo mientras esperaba que Meena me pasara a buscar. Sólo cuando vieron que Kaylie y los Clones subían al autobús con los demás chicos, se fueron, cada cual por su lado: Jonno a su entrenamiento de fútbol y Becca, a una reunión de producción con la Srta. Segal.

Esto es ridículo, pensé. Ahora piensan que necesito guardaespaldas.

Mientras Meena me llevaba a casa, pensé mucho. La situación no podía seguir así. Yo no quería pelear con Kaylie ni con sus amigas. Ni discutir con ellas. Sólo quería que nos lleváramos bien.

–¿Qué harías si alguien te declarara la guerra, Meena? –le pregunté.

–Humm –dijo, conduciendo por la carretera ventosa hacia nuestra casa–. No me gusta la guerra. Me parece una gran pérdida de tiempo, dinero y vidas inocentes. Es mejor que no haya guerra.

–Sí, pero si alguien te declara la guerra, aunque tú no quieras, ¿qué haces?

–Una vez leí un libro de Mahatma Gandhi. Fue líder de India mucho tiempo. Él tenía una buena filosofía. Decía que, antes de recurrir a la guerra, siempre hay que probar la salida pacífica. Hacer un esfuerzo por negociar.

No se me había ocurrido eso. Había pensado que mis dos únicas opciones eran retirarme o pelear. Humm. Negociar. Tal vez debería intentarlo. Además, mamá siempre dice que todos tienen algo de bondad. Kaylie debía tener sentimientos: es un ser humano. Debe tener corazón. Quizá podría apelar a su parte más humana.

Cuando llegué a casa, fui directamente a mi cuarto y encendí el ordenador. Abrí el Outlook Express y busqué la carpeta de mensajes viejos. Había uno en particular que quería encontrar. Era anterior a Navidad, antes de que todo se complicara con Kaylie. Era una de esas cadenas que dicen que, si no las reenvías inmediatamente a diez personas, te ocurrirá algo terrible. Se la habían mandado a casi todos en la escuela y, antes del mensaje, había unas cinco páginas de direcciones de correo electrónico. Recordaba vagamente haber visto la dirección de Kaylie.

Era bombarubia.co.uk o algo así. Miré la lista. Bingo, ahí estaba. Barbielabomba@info.co.uk.

Abrí una página de mensaje nuevo y empecé a escribir:

Querida Kaylie:
Quería preguntarte por qué te portas tan mal conmigo. Estas últimas semanas han sido las peores de mi vida y me he sentido muy mal...

Borré eso. Sonaba demasiado a víctima.

Querida Kaylie:
Mahatma Gandhi decía que, en tiempos de guerra, se debe intentar llegar a una solución por la vía pacífica antes de recurrir a la pelea...

No, nada de eso. En primer lugar, Kaylie no sabría quién fue Mahatma Gandhi y probablemente pensaría que quería hacerme la sabihonda. Lo borré.

Querida Kaylie:
Como sabes, las últimas semanas han sido un poco tensas...

¿Un poco tensas? ¡Muy suave! ¿Desde cuándo soy tan amable? ¡Parezco la Reina! Mi esposo y yo hemos estado un poco tensos últimamente... Ha sido mi *annus horribilis*. No. Decididamente, no era el tono apropiado. Lo borré.

Querida Kaylie:
Eres una canalla. Me estás haciendo la vida imposible, al punto de que ya no quiero ir a la escuela. Pero supongo que eso te haría muy feliz, así que olvídalo. No vas a ganar, perra sucia. No sé por qué la tienes conmigo, pero DÉJAME EN PAZ. Apestas, te tiñes el pelo... y tienes un enorme trasero y piernas cortas. Y seguro que son peludas.

Humm. Sabía que no podía enviar eso, pero me sentí un poco mejor al escribirlo. Lo borré enseguida. ¡Tengo tanta suerte que no me extrañaría apretar la tecla equivocada y enviarlo por error!

Después de unas veinte versiones, finalmente escribí:

Querida Kaylie:

No entiendo por qué has sido tan mala conmigo estas últimas semanas ni por qué distribuiste esa nota tan falsa entre los chicos de nuestro año. Sin embargo, estoy dispuesta a olvidarlo todo si tú también lo haces. ¿Podemos empezar de nuevo, esforzarnos por llevarnos bien y ser amigas?

Li@

Eso es, pensé. Simple, conciso y no demasiado emotivo. Pulsé el botón de enviar antes de cambiar de parecer, y el mensaje salió. Era la primera vez en días que me sentía tan aliviada.

Media hora más tarde, me llamó Cat.

–¿Estás sola? –me preguntó.

–Sí. ¿Por qué?

Hubo un silencio. Luego Cat respondió:

–No sé cómo decirte esto...

Sentí que se me apretaba el pecho y se me retorcía el estómago.

–¿Qué?

–Estaba en el ordenador y recibí un mensaje. De Kaylie. Creo que se lo mandó a todo el mundo.

–¿Qué? ¿Qué decía?

–Quise decírtelo yo y no que te enteraras por otro lado.

–Entiendo. ¿Qué decía?

–Escribió: *Ja ja ja, miren esto. Qué patética. La pobre niña rica no tiene amigos.* Después copió un mensaje tuyo donde le preguntabas si podían ser amigas. ¿Tú lo escribiste?

Me sentí descompuesta.

–Sí. Sí, lo escribí yo. Pensé… ay, no sé lo que pensé.

–Lo siento mucho, Lia. Es una miserable.

–Sí.

–Pero sí tienes amigos. Yo soy tu amiga... lo sabes, ¿verdad? Y Becca. Y Mac y Zoom. No necesitas gente como ella. Y tampoco su aprobación.

Sabía que Cat tenía razón, pero sus palabras no me servían de consuelo. No entendía. ¿Por qué algunas personas eran tan horribles?

Dos horas más tarde, me llamó Becca para contarme sobre el mensaje. Aparentemente, Mac y Zoom también lo habían recibido.

–Parece que se lo envió a todos los que tienen ordenadores.

–O sea, a casi todo el mundo.

–Voy a matarla –dijo Becca.

–Adelante –respondí–. Yo ya no puedo más.

10
Reinas y plebeyas

Esa noche lloré hasta quedarme dormida, y al día siguiente desperté con el ya conocido nudo en el estómago. No quería ir a la escuela, pero no me atrevía a decírselo a mamá. Pronto se daría cuenta del porqué, se enfadaría e iría a hablar con los profesores. Lo último que necesitaba era que otro hiciera la guerra por mí. Pero, por otra parte, los métodos con los que había intentado resolver las cosas no habían dado resultado. Me sentía enferma. No quería comer, no quería hacer nada más que esconderme bajo las cobijas y salir sólo cuando todo hubiese terminado y alguien viniera a mi cama a decirme que esto había sido una pesadilla.

Me obligué a levantarme y vestirme, y esperé que mamá y papá fuesen a pasar el día a alguna parte y no se dieran cuenta de que yo no había ido a la escuela.

A las ocho y media, sonó el timbre. Era Zoom.

–Hola –dijo.

–Hola. ¿Qué haces aquí?

–Pensé que te gustaría llegar a la escuela acompañada –respondió.

–Pero te has desviado mucho.

–No hay problema –dijo.

–Y siempre me lleva Meena.

–Qué bueno. Llegaré con elegancia.

–No si Max y Molly te alcanzan –dije, riendo–. Estarán cubiertos de lodo.

Los perros nos habían visto desde el parque y venían corriendo a toda velocidad hacia nosotros. Zoom y yo nos abalanzamos hacia el auto, que esperaba frente a una de las cocheras, listo para llevarme a la escuela. Subimos justo a tiempo, y no pude evitar reír por las caritas de decepción que pusieron, con las patas contra las ventanillas.

Poco después, apareció Meena y nos pusimos en camino, dejando atrás a Max y Molly. Cuando nos acercábamos a la escuela, le pregunté si había visto el mensaje que había enviado Kaylie.

–Ah, sí –se encogió de hombros–. Para eso está la tecla de borrar.

Luego me preguntó qué pensaba hacer el fin de semana y me contó sobre la película que estaba haciendo sobre la obra de la escuela. Hablamos de música, de las películas que estaban por estrenarse… de todo menos de Kaylie y los Clones. Cuando llegamos a la escuela, el nudo en mi estómago se había aflojado un poco. Sólo cuando bajamos del auto, Zoom tocó el tema.

–No dejes que te debiliten, Lia –me dijo–. Y ya sabes dónde estoy, si me necesitas.

Mientras iba hacia el aula, Jackie me alcanzó.

–Hola, Lia –dijo.

–Eh –respondí, preguntándome qué maldad se traería entre manos.

–¿Cómo estás?

¿Cómo que cómo estoy?, pensé. Ella tiene que saber el efecto que han tenido en mí estas dos semanas.

–Mira, Jackie, no sé lo que buscas, pero si quieres saber la verdad, he estado muy alterada. No sé por qué tú y tus amigas me tratan tan mal. Nunca les hice nada y ya no lo soporto más.

Jackie meneó la cabeza.

–Lo sé. Me siento muy mal por eso.

Me sorprendió.

–¿En serio?

–Sí, claro. No todas estamos siempre de acuerdo con Kaylie y creo que ha sido muy mala contigo. Lo siento.

Era lo último que había esperado.

–Ah –fue todo lo que pude decir.

–Sí, algunos nos sentimos mal por todo esto. Kaylie puede ser una miserable, de las peores.

–Muy cierto –concordé–. Una perra total.

Me sonrió con aire amistoso y se fue por el pasillo. Qué raro, pensé. No lo había esperado, pero tal vez algún Clon tenía mente propia, después de todo. Fui al baño de chicas para sentarme a solas un momento antes de enfrentar a todos los que, sin duda, habían recibido el mensaje de Kaylie la noche anterior. Llevaba allí apenas unos minutos cuando oí abrirse la puerta y luego voces. Una de ellas era la de Kaylie. Rápidamente, levanté los pies del suelo para que no se diera cuenta de que estaba allí.

–¿Y vieron cómo firmó? Lia con arroba, como se usa en las direcciones de correo electrónico –decía Kaylie–. Supongo que se cree muy lista al hacer eso.

–Antes te parecía una buena idea –le recordó Susie.

–No es cierto –replicó Kaylie–. ¿De qué lado estás?

–Del tuyo, claro –respondió Susie–. Siempre me pareció una engreída. Me da asco.

–Sí, con su ropa fina y su chofer privado –dijo Jackie.

¡Esa es la voz de Jackie!, pensé. Pero acaba de ser tan amigable conmigo y ahora me critica igual que las demás. ¿Qué está pasando?

Pero eso no era todo.

–Y seguro que se tiñe el pelo –dijo Fran–. Nadie tiene el pelo tan rubio sin invertir mucho dinero.

–Y todos sabemos que su papito lo tiene –dijo Jackie–. Probablemente piensa que también puede comprarse amigos.

–Y es tan presumida –prosiguió Kaylie–. Con su reloj *Cartier* genuino. ¿A quién le importa? Y ¿por qué tiene que venir a la escuela todos los días en un *Mercedes*? Sólo para darnos envidia. Como diciendo «mira lo que yo tengo y tú no». Podría tomar el autobús como cualquiera, pero no, no quiere mezclarse con nosotros, ¿verdad?

–De todos modos, no me parece tan bonita –dijo Fran.

–No, a mí tampoco –respondió Susie–. Es como demasiado obvia. Francamente, Kaylie, no podía creer ese mensaje que te envió. ¡Qué descarada! *Seamos amigas...* ¿Quién querría ser amiga suya?

–Y no lo dijo en serio –intervino Jackie–. Kaylie, hablé con ella hace dos minutos en el pasillo y dijo que eras una perra total.

–¿En serio? –preguntó Kaylie.

–En serio. Palabras textuales: «una perra total». Trató de hacerse mi amiga y ponerme de su lado, pero claro que no quise saber nada.

Sentí que los hombros se me cayeron y bajé la cabeza. De modo que todo había sido una actuación de Jackie. ¡Qué falsa! Y pensar que, por un momento, pensé que podía ser buena persona.

–Nadie quiere ser amiga de ella –dijo Kaylie–. Es tan evidente que Cat y Becca sólo están con ella porque querían conocer de cerca a una familia famosa. Si no fuera la hija de Zac Axford, seguro que no andarían con ella.

–Sí –dijo Fran–, todo el mundo sabe que Cat sólo está con Lia porque quiere salir con su hermano, Ollie.

–Y Mac y Zoom –dijo Susie– son unos aprovechados. Quieren formar parte de esa vida glamorosa.

–Seguro que ella dejó su escuela anterior porque allá tampoco tenía amigos –dijo Jackie.

–Sí.

–¡Claro!

–Pobre chica rica –dijo Fran–. ¿Sabrá que ya es historia?

–Nosotras somos las reinas y ella... ya fue –dijo Kaylie, y todas echaron a reír.

Entonces oí que la puerta volvía a abrirse y cerrarse. Me sentía como si me hubiesen apuñalado en el estómago y las lágrimas que había estado conteniendo empezaron a caer. No podía volver a clase después de lo que había oído, especialmente con los ojos enrojecidos e hinchados. Esperé cinco minutos, hasta que oí el primer timbre y supe que estarían todos en las aulas. Luego corrí hasta la puerta y huí de la escuela.

Fui directamente al trasbordador de Cremyl y luego tomé el autobús a Plymouth. Sabía lo que tenía que hacer. No me habían dejado alternativa.

11
En busca de la invisibilidad

–¿Cómo que no quieres que Meena te lleve más a la escuela? –me preguntó mamá el sábado por la mañana, mientras desayunábamos.

–Hay un autobús –le respondí.

–Pero, para tomarlo, tendrías que caminar ochocientos metros. No seas ridícula, Lia. Meena siempre te ha llevado a la escuela. ¿Qué es realmente lo que pasa?

Respiré hondo y me dispuse a explicárselo. Mi nueva táctica: pensaba hacer todo lo posible para ser como los demás y no destacarme, y eso significaba que tendría que dejar ciertas cosas. Primero, eso de ir a la escuela con chofer privado. En segundo lugar, mi reloj. Me había comprado uno en el mercado de Plymouth: barato, de plástico, con correa rosada. Tercero: mi ropa. Había conseguido algunas cosas en un local de venta de fábrica, todo por menos de diez libras. En adelante, sólo usaría el cabello recogido y nada de maquillaje. Nadie podría acusarme de vanidosa. Sería gris, me perdería en la multitud. Iba a mimetizarme aunque me costara. De hecho, más que eso: iba a volverme invisible para que nadie reparara en mí.

–Es muy importante que no me destaque de ninguna manera, mamá. Y ser la única en la escuela que llega en un *Mercedes* con chofer hace que me destaque muchísimo.

–Pero a muchos chicos los llevan y los van a buscar en auto.

–Sí, pero no con ese modelo. Y los van a buscar sus padres, no el ama de llaves.

–¿Estás diciendo que quieres que te lleve yo?

–Sí. No. –Mamá tiene un *Porsche* plateado. ¡Imaginen la escena!– No. Pero ¿y si Meena me lleva en su auto? Su viejo *Ford* no llamaría tanto la atención.

–¿Acaso esa chica estuvo molestándote otra vez?

–No –mentí–. Sólo quiero ser como los demás, y esta escuela es muy distinta de la anterior, eso es todo.

Mamá me miró como si no me creyera del todo.

–Bueno, pues tendrás que ponerte una bolsa de papel en la cabeza, Lia. Eres una chica deslumbrante, y no lo digo sólo porque soy tu madre. Siempre vas a destacarte entre la multitud.

–No si uso ropa común y no me maquillo.

–Lia, ¿te has mirado al espejo últimamente? Eres tan linda sin maquillaje como con él.

–Tengo que ser como todos, mamá. Es muy importante. Por favor, apóyame en esto.

Mamá suspiró.

–Esto no me gusta nada, Lia. Algo no está bien y tengo la sensación de que no me estás contando todo, pero… si es lo que quieres, así será. Entiendo lo importante que es a tu edad no sentirse diferente. Entonces, de ahora en más, Meena te llevará en su auto. Y vas a usar ropa aburrida… No lo entiendo, pero adelante.

Pareció dar resultado, en cierta medida. No pasó nada importante. Los Clones se limitaban a ignorarme o a burlarse si yo decía algo dentro del alcance de sus oídos. Podía soportar eso. Para ir a la escuela, ya no me ponía nada que fuese a llamar la atención. Dejé de levantar la mano en clase cuando los profesores hacían preguntas. Me aseguraba de encontrarme con Jonno fuera de la escuela y, en horario de clases, trataba de no cruzarme con él. Si veía venir a Kaylie o a alguna de los Clones, me detenía y caminaba en otra dirección. Habían ganado, lo sabían, y aparentemente habían perdido el interés.

A medida que pasaban las semanas y la vida continuaba su curso, seguí viendo a Jonno. Sin embargo, a la vez que empezaba a sentirme un poco mejor, también descubrí que Jonno y yo no teníamos mucho en común. De pronto, comencé a inventar pretextos para pasar más tiempo con mis amigos de siempre: Mac, Becca, Zoom y Cat. Jonno prefería venir a casa en lugar de salir, para poder mirar el fútbol con papá, y yo me divertía más con mis amigos.

Pese a todo, pasábamos algún tiempo a solas: íbamos a comer pizza, al cine, a pasear por la Ciudad Vieja en Plymouth. Fue en esas ocasiones cuando empecé a comprender que no me sentía tan bien con él. No hablábamos como yo había podido hablar con otros chicos antes, y a veces tenía la impresión de que Jonno se limitaba a concordar conmigo pero no me escuchaba de verdad cuando yo intentaba explicarle mi opinión sobre algo. Sólo le interesaban dos temas de conversación: el deporte y la música. Y empezaba a aburrirme. Eso, y su nueva colección de chistes, que me habían causado gracia al comienzo, pero ya no tanto. Cada vez que lo veía, tenía uno nuevo.

«¿Cómo haces que a Kaylie se le iluminen los ojos? Le pones una linterna en la oreja.»

«¿Por qué a Kaylie no le gustan los confites? Porque son difíciles de pelar.»

«¿En qué se diferencia un Clon de Kaylie de un carrito de supermercado? En que el carrito de supermercado tiene voluntad propia.»

«¿Qué hace un Clon de Kaylie cuando alguien grita: "¡Aquí hay gato encerrado!"? Abre la puerta.»

«¿En qué se parecen una selva tropical y Kaylie O'Hara? En que ambas son densas.»

Y seguía otro, y otro más. Creo que encontraba los chistes en Internet y luego los adaptaba. Supongo que esos chistes eran su manera de apoyarme, pero a medida que pasaban las semanas, empecé a desear que no mencionara más a Kaylie. Ni siquiera quería oír su nombre.

Gracias a Dios, estaba Zoom. Me llamó un sábado por la tarde, mientras papá y Jonno estaban echados como siempre en el sofá, y me invitó a ir a Rame Head con él.

Acepté sin dudarlo. Llevamos a los perros con nosotros y pasamos una de las mejores tardes en mucho tiempo. Cat me dijo que Zoom piensa hacer una película sobre la iglesia pequeñita que hay allá arriba. Está justo en la península, sobre una colina que da al mar. Hay algo en ese lugar. Es mágico. Siempre me da mucha paz, como si nada en el mundo importara.

–Y ¿cómo te va con ese novio tuyo? –preguntó, mientras subíamos los escalones hacia la iglesia.

–Está loco. Loco por el fútbol.

Zoom rió.

–No es lo tuyo, ¿verdad?

–No, gracias. Creo que debería ponerse de novio con mi papá... es obvio que están enamorados.

–Debe ser difícil para ti a veces...

–¿A qué te refieres?

–A todo lo que viene contigo. Una casa fabulosa. Tu papá. Seguramente habrá gente que quiera aprovecharse de eso.

–Sí. De hecho, oí a Kaylie y los Clones decir que tú y Mac sólo se interesaban en mí por mi vida glamorosa.

Supuse que lo haría reír, pero Zoom se puso serio.

–Ten cuidado, Lia –dijo–. A veces no se sabe quiénes son los verdaderos amigos.

No sabía bien a quién se refería, pero no quise insistir con el tema y arruinar nuestra tarde. Pero me dejó pensando. ¿Cat? ¿Becca? ¿Mac? ¿A quién se refería?

12
Decepcionada

El siguiente martes, al llegar a la escuela, divisé a Cat y Becca, que acababan de entrar. Estaban conversando muy serias y no me vieron hasta que casi las había alcanzado.

Becca se sobresaltó y le dio un codazo a Cat para que se callara.

–Ah –dijo Cat, turbada–. Lia.

–¿De qué hablaban? –les pregunté–. Parecían totalmente concentradas.

Becca miró a Cat con aire culpable.

–No, de nada –respondió.

–Esteee... hablábamos de la obra –dijo Cat.

No me digas, pensé. El corazón me dio un vuelco. Sabía que me estaban mintiendo.

Mientras entrábamos juntas a la escuela, me sentí absolutamente decepcionada, y más aún al ver que Cat miraba a Becca y hacía una mueca, como diciendo: Dios, por poco no nos atrapó. Tuve ganas de dar media vuelta y salir corriendo. Era la última traición. Cat y Becca, mis dos mejores amigas. Y ahora ellas también hablaban de mí en secreto.

Era demasiado. Ya no sabía en quién confiar. Empezaba a pensar que quizás cambiar de escuela había sido la peor idea de toda mi vida. Decidí que, cuando llegara a casa, hablaría con mamá para volver a mi antigua escuela. Allá tenía amigos y, aunque significaba que volvería a estar lejos de casa y echaría de menos a mamá y papá, al menos Estrella y Ollie estarían en Londres y yo me alejaría de toda esta pesadilla.

Durante el recreo fui a buscar a Zoom. Al principio, pensé en no decirle nada pues sé que Cat y Becca también son sus amigas, pero luego sentí que podía confiar en él. Zoom había intentado prevenirme sobre quiénes eran mis verdaderos amigos.

—Es que no lo entiendo —le dije, después de explicarle lo que había visto—. Realmente pensaba que no había secretos entre Cat, Bec y yo, y ahora... no sé qué pensar. Era obvio que hablaban de mí.

Zoom meneó la cabeza.

—No. Entendiste mal. Ellas sí son tus amigas. De verdad. Mira, probablemente trataban de protegerte.

—¿De qué?

—De lo mismo de siempre. De Kaylie.

—No —repliqué—. Últimamente no tuve problemas con ella. Perdió el interés.

—No lo creo...

—¿Por qué no?

Zoom se mordió el labio.

—Por favor, Zoom. Si están haciendo algo que yo no sepa, por favor, dímelo.

—Mira, prométeme que no dirás que yo te lo conté...

—Lo prometo.

—Parece ser que Kaylie todavía trata de perjudicarte. Les dijo a Cat y a Becca que tú y ella habían estado criticándolas.

—¿Qué? Si jamás hablo con Kaylie. ¡Es una locura!

Zoom se encogió de hombros.

—Bueno, ella está loca, ¿no?

—Y tú, ¿cómo te enteraste? ¿Cuándo pasó eso?

—Anoche, durante el ensayo. La vi hablando con Cat y Becca, y luego Becca me contó lo que les había dicho.

Volví a sentir aquel nudo en el estómago.

—Y ¿qué dijo?

–Algo acerca de que tú sólo andabas con Cat y Becca porque te trataron bien cuando llegaste y ahora no puedes quitártelas de encima. Luego, les dijo que en realidad querías estar con Kaylie y su grupo y que por eso te ha molestado tanto que no te aceptaran.

–Pero no pueden haberle creído, ¿verdad? Yo jamás las criticaría. ¿Por qué no me llamaron para preguntármelo? ¿Por qué no me lo dijeron esta mañana?

Zoom me miró de frente y me puso las manos en los hombros.

–Porque no le creyeron ni una sola palabra y no querían que te molestaras. Mira, Lia. Ellas son tus mejores amigas. Saben cómo es Kaylie.

–¿Lo saben? ¿Seguro? Pero esta mañana estaban cuchicheando acerca de mí. Ya no sé en quién confiar. Y además… el sábado me dijiste que tuviera cuidado con quiénes eran mis verdaderos amigos.

–No me refería a ellas, tonta –repuso Zoom.

–¿A quién, entonces?

Esta vez fue Zoom quien parecía sentirse incómodo.

–¿A quién? –insistí.

Vaciló un largo rato.

–Está bien. Jonno –dijo, por fin.

–¿Por qué? Él no está de acuerdo con Kaylie –repliqué–. Ni siquiera le cae bien.

–Lo sé –dijo Zoom–. Mira, olvida lo que te dije. Tal vez te estoy tratando como un hermano mayor y nada más.

–No, dímelo. ¿Sabes algo acerca de Jonno que yo no sepa?

Zoom miró alrededor para cerciorarse de que nadie escuchaba.

–No exactamente. Sólo… ya sabes, lo que hablamos el sábado. Acerca de la gente que quiere aprovecharse. Bueno, pues lo siento, pero creo que eso es lo que está haciendo Jonno. Cuando hablas de él, me da la impresión de que te usó para llegar a tu papá. Sabes bien que está desesperado por entrar al mundo de la música cuando termine la escuela. Seguramente sabe que tu papá podría ayudarlo y parece que pasa más tiempo con él que contigo.

No podía negarlo. Eso había empezado a fastidiarme y, en el fondo, había estado pensando en terminar con él. No tanto porque pensara que era un aprovechador, sino porque creía que ya no me gustaba. No había química… al menos, no de mi parte. Aunque era buen mozo y simpático, yo quería más que eso. Prefería estar con alguien con quien realmente pudiera hablar y reír, y si se trataba de un novio, quería que fuera alguien que me hiciera estremecer cuando me besara. Besarme con Jonno era como comer polenta: un poco aburrido.

—Espero no haber dicho nada fuera de lugar —dijo Zoom, preocupado—. De hecho, no me hagas caso. En el fondo, probablemente estoy celoso.

—¿Celoso?

Ahora sí que Zoom se turbó.

—Mira, tengo que irme. Va a empezar la clase —dijo, y se alejó deprisa.

¿Zoom, celoso? Eso me dejó pensando un momento. ¿Podía ser que yo le gustara? Sentí que mi cerebro cambiaba de velocidad, pues nunca me había permitido imaginar que pudiera estar con él. Pero es cierto que nos llevamos bien. Es muy divertido, lleno de vida y de nuevas ideas, y tiene unos ojos pardos hermosísimos, con pestañas espesas y una boca ancha divina… Humm. ¿Celoso? Tal vez él sentía lo mismo por mí. Sí, interesante. Muy interesante.

13
Sacerdotes y prostitutas

–Entonces, por favor, nada de secretos –les dije a Cat y a Becca cuando las alcancé a la hora del almuerzo–. Sé que Kaylie estuvo causando problemas de nuevo, pero, por favor, díganme cuando hace alguna locura como esa.

–No queríamos que te preocuparas –dijo Becca–. Además, no le hicimos caso. De hecho, Cat preguntó cuántas veces tendría que tirar la cadena hasta que Kaylie se fuera.

Reí.

–Más me preocuparía si pensara que ustedes no son más mis amigas. Esta mañana, cuando las vi, me di cuenta de que pasaba algo. Me sentí pésimo. Pensé que las había perdido. Lo siento, supongo que estoy poniéndome paranoica con todo lo que ha pasado, por eso les pido que no haya secretos entre nosotras.

Cat miró a Becca con aire interrogativo y Becca asintió.

–Hablábamos de ti, Lia –dijo–. Es cierto. Pero no es lo que crees. No hablábamos de Kaylie; no malgastaría mi aliento en ella. No. Tratábamos de prepararte una sorpresa. Sabemos que últimamente la has pasado muy mal y queríamos hacer algo para alegrarte.

–Me basta con que sean mis amigas y siempre me digan lo que pasa. Eso es lo mejor que podrían hacer.

–Sí, pero queríamos hacer algo… No sé –suspiró Becca–. Es que desde hace un tiempo que no eres tú misma. Estás como derrotada, como una sombra de la que eras. Tan callada. Hasta se nota en tu postura. Te has encorvado, como si trataras de desaparecer.

–Y así es –dije–. No quiero que nadie se fije en mí.

–Pero tú no eres así –dijo Cat–. Es como si Kaylie estuviera borrándote. Queremos hacer algo para recuperar a la Lia de antes. Hacerte reír otra vez.

–¿Algo como qué?

–Bueno, eso tratábamos de decidir. Una película, quedarnos a dormir en la casa de alguna... no lo sé. No sabíamos si querrías hacer algo sola o si preferirías que viniera también Jonno.

–Bien, ya que estamos hablando con sinceridad, creo que ya no quiero seguir saliendo con Jonno.

–¿Por qué no? –preguntó Becca.

Me encogí de hombros.

–No lo sé. Es decir, es un buen chico, lindo y todo eso, pero creo que no tenemos mucho en común.

–Esto no será parte de tu campaña para volverte invisible, ¿verdad? –preguntó Becca–. Dejaste el reloj, la ropa buena, el *Mercedes*, y ahora piensas dejar al chico más lindo de la escuela, todo para que Kaylie O'Horrible te deje en paz...

Hablando de Roma... En ese preciso momento, Kaylie salió del baño y vino directamente hacia nosotras. En la mano, traía una pila de sobres. Dios, aquí vamos, pensé. Invitaciones para una de sus fiestas.

–Hola. –Nos sonrió a todas, luego se volvió hacia mí y me entregó una invitación–. Mira, Lia, quería decirte que hagamos borrón y cuenta nueva. Estuve pensando en ese mensaje que me enviaste por correo electrónico y tienes razón: debemos tratar de llevarnos bien. Lo pasado, pisado. Por favor, ven a mi fiesta el sábado.

Creo que quedé boquiabierta.

–Ah... bueno. Gracias –respondí, aceptando el sobre.

Dio invitaciones también a Cat y a Becca.

–Esta vez se me ocurrió hacer una fiesta temática –prosiguió–, así que es una fiesta de disfraces. Sacerdotes y prostitutas. Todos los chicos vendrán vestidos de sacerdotes, y todas las chicas, de prostitutas. Será divertido.

Becca hizo una mueca cuando Kaylie se fue.

–¡Qué descaro! No puedo creerlo. Durante el ensayo, nos dice una sarta de mentiras sobre ti y ahora viene a invitarnos como si nada hubiera pasado. ¡Ja! Borrón y cuenta nueva, ¿eh? Más bien, yo diría que quiere borrarnos del mapa. Así que no. No pienso ir a una de sus estúpidas fiestas. Ni siquiera si me pagaran.

–Yo tampoco –dijo Cat–. Podría pensar que estamos a su disposición. De ninguna manera. No, lancemos estas invitaciones a la basura.

–No, esperen –dije–. Creo que deberíamos ir. Acaba de tender la mano de la amistad y seguro que no fue fácil para alguien como ella. Por favor. No quiero ir sola. Vengan conmigo. Quiero... quiero hacer la prueba.

Becca miró a Cat.

–¿Por qué es tan importante para ti llevarte bien con Kaylie, Lia? –preguntó Becca–. Es una perra total. No necesitas gente así en tu vida.

Por un momento me asusté. No quería que pensaran que había algo de verdad en lo que les había dicho Kaylie, acerca de que yo quería entrar en su grupo y quitármelas de encima a ellas.

–No quiero ser amiga suya, no. Sólo quiero que no estemos peleadas. Digamos, nada de... malas ondas. Si ella cede y yo no voy a su fiesta, puede pensar que soy presumida o algo así. Quiero ir para demostrarle que, simplemente, quiero llevarme bien con todo el mundo. Entonces quizá podamos dejar atrás toda esta locura y seguir con nuestra vida.

–De acuerdo –suspiró Becca–. Pero sólo por ti.

La noche del sábado nos reímos mucho mientras nos disfrazábamos. Mamá, la reina de las fiestas, consiguió un baúl lleno de disfraces raros y maravillosos, desde pelucas venecianas hasta kimonos japoneses y togas romanas. En el fondo del baúl, encontramos unos atuendos maravillosos y atrevidos. Faldas de goma, boas de plumas, pelucas rubias, zapatos altos con tiras… Becca se puso una diminuta falda negra y un sostén de encaje negro con una blusa transparente encima. Cat eligió un top blanco transparente con un sostén negro debajo… de muy mal gusto. Y yo me puse un vestido rosado muy corto y escotado, con medias largas de red y una boa de plumas rojo intenso. Nos embadurnamos la cara con maquillaje y nos hicimos los peinados más altos que pudimos. Cuando terminamos, parecíamos unas verdaderas busconas.

A papá casi se le salieron los ojos de las órbitas cuando nos vio bajar la escalera con ese aspecto.

–¿Dónde diablos creen que van, así vestidas? –preguntó.

–A una fiesta –respondió Cat.

–No lo creo… –empezó papá.

–Es una fiesta de disfraces –le expliqué–. Sacerdotes y prostitutas, y creo que te darás cuenta de que no somos los sacerdotes.

Aun así, no parecía muy conforme.

–Pónganse los abrigos hasta llegar allá, y yo las llevaré. –Nos miró a las tres una vez más, preocupado–. ¡Y las voy a buscar después!

Le pedí a papá que nos dejara en la esquina de la casa de Kaylie, pues no quería que su *Ferrari* llamara la atención. Apenas se fue, nos quitamos los abrigos, nos aplicamos un poco más de rubor y lápiz labial rojo, y nos dirigimos a la puerta de la casa de Kaylie. Becca tocó el timbre.

Poco después, abrió la puerta una señora de mediana edad, rubia y de cabello crespo. Tenía puesto un conjunto deportivo de entrecasa y estaba fumando un cigarrillo. Puso cara de espanto al vernos ahí de pie, en el umbral de su puerta, riendo.

Le dio una pitada al cigarrillo.

–¿Sí?

De pronto, tuve un mal presentimiento. No se oía música ni llegaban voces de adentro. La casa estaba en silencio y vi el resplandor de un televisor por la ventana del frente.

Becca y Cat empezaron a sospechar algo al mismo tiempo.

–Yo... eh, nosotras pensábamos que había una fiesta aquí –le dijo Becca.

–Pues se equivocaron –respondió la Sra. O'Hara, mirándonos de arriba abajo con desaprobación–. ¿Saben sus padres que andan por la calle así vestidas?

–Esteee... pensábamos que era una fiesta de disfraces –murmuró Cat–. Lo siento. Nos equivocamos de casa. Lamentamos haberla molestado.

Sin decir más, la Sra. O'Hara cerró la puerta. No parece una persona muy amigable, pensé, mientras regresábamos por el sendero hacia el portón. De pronto, me cegó una luz intensa y alguien apareció de la nada.

–Sonrían para la foto –dijo Kaylie. Cuando mis ojos se habituaron a la oscuridad, vi que detrás de ella estaban los Clones: Jackie, Fran y Susie. Todas reían a más no poder. Becca se tapó la cara con la mano para que no pudieran tomar otra foto. Pero era demasiado tarde, pues Kaylie apretaba el disparador a toda velocidad.

De pronto, Becca se lanzó contra ella para quitarle la cámara, pero no con suficiente rapidez. Kaylie corrió hacia la puerta y, en un segundo, estaba dentro de la casa. Los Clones cruzaron la calle hacia la izquierda y se perdieron de vista en un instante.

–Vamos –exclamó Becca, echando a correr tras ellas–, alcancémoslas.

Cat y yo tratamos de seguirlas, pero con tacos de ocho centímetros, era imposible correr. Cat se cayó contra un seto de ligustro en un jardín y echó a reír.

–Ni siquiera puedo caminar con estas cosas, mucho menos correr –se quejó.

Becca regresó para ver si Cat estaba bien y luego miró en la dirección por donde se habían ido los Clones.

–Al diablo con ellas –dijo Becca–. No valen la pena.

—Sí —dije—. Hay que ignorarlas.

Me abrazó.

—No importa, Lia. ¿Quién necesita a Kaylie y a sus estúpidas amigas?

—Sí —concordó Cat—. Nos hizo disfrazarnos, qué gracioso, jajaja.

—Patético —respondí.

—Volvamos a tu casa, Lia, y hagamos nuestra propia fiesta —propuso Cat.

Nos sentamos sobre el muro y, mientras yo sacaba mi teléfono para llamar a papá, pasó un *Ford Fiesta* verde. Cuando el conductor nos vio, disminuyó la velocidad.

—Vaya, hola —dijo un muchacho que iba del lado del acompañante, mientras bajaba la ventanilla—. ¿Quieren pasar el resto de su vida conmigo, muñecas?

—No podrías pagarme ni la tintorería, muñeco —replicó Cat, con un tono muy sofisticado.

Cuando se dieron cuenta de que no teníamos interés, se alejaron, afortunadamente. Cat y Becca echaron a reír y yo traté de hacer lo mismo, pero mi mal presentimiento se había vuelto más intenso. Por algún motivo, intuía que aquello no terminaría allí.

14
La gota que colmó el vaso

El lunes siguiente, cuando llegué a la escuela, había un montón de gente frente a la cartelera, en el corredor de la entrada. Todos parecían estar riéndose mucho, de modo que me acerqué para ver qué era tan gracioso. A menudo colocaban chistes que habían encontrado en Internet, aunque no duraban mucho allí pues siempre algún profesor los veía y los retiraba. Al aproximarme, uno de los chicos me vio y codeó al que estaba a su lado. De pronto, todos se callaron. Kaylie, pensé de inmediato. Dios, ¿qué habrá hecho ahora? La multitud se abrió como una ola y eché un vistazo al periódico mural para ver qué habían estado mirando. Era una foto ampliada de Cat, Becca y yo, vestidas de prostitutas. Debajo, habían escrito: «*La verdadera Lia Axford y sus amigas. Así son las chicas perfectas fuera de la escuela. Votamos por Ophelia Axford para Prostituta de la Semana. Firma aquí si estás de acuerdo.*»
Abajo había una larga lista de nombres y algunos mensajes de chicos que habían puesto sus números de teléfono con invitaciones a llamarlos.

Jerry Robinson, de octavo año, silbó y me guiñó un ojo.

–Oye, Ophelia, ¿quién lo hubiera dicho? Con lo calladita que eres en la escuela. Llámame. –Luego rió–. No, pensándolo bien, yo te llamaré. Tal vez.

Traté de sonreír y de restarle importancia, pero por dentro me sentía paralizada. Ni siquiera podía llorar. Esa fue la gota que colmó el vaso. Me sentía aturdida, salvo por el nudo en el estómago, que parecía más tenso que nunca. De pronto, empezó a faltarme el aire. Cuando la gente empezó a dispersarse, estiré la mano para retirar la foto. Justo en ese momento, alguien me apoyó una mano en el hombro. Era la Srta. Segal.

–Yo quitaré eso –dijo, con expresión muy seria. Retiró la foto de la cartelera y se alejó sin volver a mirarme.

Ya está, pensé, mirándola alejarse. Es mi profesora preferida y ahora incluso ella va a pensar mal de mí. Corrí al baño de chicas y, por suerte, no había nadie. Sonó el timbre de entrada y oí que todo el mundo se dirigía a formarse. Entré al último cubículo y trabé la puerta. No podía más. Ya no sabía cómo ser.

Primero, los chicos me consideraban distante, y ahora pensaban que era una prostituta. Había intentado defenderme. Había tratado de volverme invisible. Nada había dado resultado, y ahora Kaylie se la había tomado también con Cat y Becca, y todo por mi culpa. Si no hubiese venido a esta escuela, pensé, nadie habría puesto la foto de ellas a la vista de todos. Me sentía una fracasada. Había decepcionado a todo el mundo. Aquel no era mi lugar. Y probablemente yo tuviera la culpa. Se acabó, pensé. Decididamente, hablaría con mamá acerca de dejar esta escuela espantosa y volver a Londres.

Decidí quedarme escondida en el baño hasta que todos entraran a las aulas, y luego me iría a casa y le rogaría a mamá que me dejara ir para no volver jamás.

Un minuto después, oí que la puerta del baño se abría y volvía a cerrarse. Como antes, cuando habían entrado Kaylie y sus amigas, levanté los pies para que nadie supiera que estaba allí. Esto es una locura, pensé, ya no puedo seguir en esta escuela. No puedo pasar el resto de mis años escolares escondida en los baños.

La persona que había entrado estaba revisando todos los cubículos. Por favor, que no sea Kaylie, rogué. No creía poder soportar nada más de ella.

–Lia, sé que estás aquí adentro.

¡Era la voz de Zoom! ¿Qué debía hacer?, me pregunté... Tal vez, si me quedo muy callada, se irá. Llegó al cubículo donde estaba yo y probó la puerta.

–¿Lia?

Traté de no respirar.

–Lia. Sé que estás ahí. Mira. Nadie le cree a Kaylie y sus amigas. No debes tomarlo a pecho. En serio, a nadie le importa. Por favor, sal de ahí.

Poco después, la puerta volvió a abrirse y cerrarse y oí más pasos.

–¿Está aquí? –preguntó Mac.

–¿Lia? –llamó Becca.

–Creo que está ahí adentro –dijo Zoom.

No era que no quisiera hablar con ellos, sino que no podía. Me sentía paralizada.

–Escucha, Lia –dijo Cat, con suavidad–. Sabemos que viste la foto. Déjalas, que piensen que nos hicieron pasar por estúpidas. No es importante. Estamos juntas en esto. Por favor...

–Sí, de hecho –dijo Becca–, la mayoría piensa que es una triste perdedora al rebajarse a hacer una cosa así. Vamos, abre la puerta.

No respondí.

–No vamos a irnos –dijo Zoom.

Oí pasos que entraban al cubículo contiguo y parecía que alguien intentaba subir. De pronto, vi la cara de Becca por encima del panel divisorio. Sonrió.

–Oye, tenemos que dejar de encontrarnos así.

–¿Está ahí? –preguntó Cat.

–Sí –respondió Becca–. Vamos, Lia, abre. Podemos hacerle frente a esto. Juntas.

Sentía mucha vergüenza. Tan estúpida y débil que no podía ser como ellas y reírme de todo aquello.

–Vamos –insistió Becca–. No puedes quedarte sentada ahí todo el día. En un rato empezará a venir gente.

–Lo siento –susurré. Me puse de pie y destrabé la puerta. Aún no tenía deseos de salir, pero al oír que se destrababa la puerta, Cat la empujó, entró y me abrazó.

–Tú estás por encima de esto –me dijo–. Vamos. Tenemos que demostrarles que no nos han afectado. No podemos dejarlas ganar.

–Lo siento –repetí–. Ojalá pudiera ser como tú, pero... lo lamento. Es que, no lo sé... Voy a volver a mi escuela en Londres. Aquí ya no soporto más...

De pronto, Mac se puso tenso y señaló hacia la puerta con el pulgar. Todos contuvimos la respiración un momento al oír pasos en el corredor. Clic, clac, en el suelo. Pasos rápidos. Alertas. Eficientes. No eran los pasos de un alumno retrasado. Se abrió la puerta. Era la directora.

–Becca Howard. ¿Por qué no estás en clase? ¡Jack Squires y Tom Macey! ¿Se puede saber qué hacen en el baño de chicas? Y ¿quién está en ese cubículo? –Se acercó–. Cat Kennedy. Lia Axford. –Olfateó el aire–. No habrán estado fumando, ¿verdad?

–No, señorita –respondió Becca.

La Srta. Harvey nos miró a todos de arriba abajo.

–No me gusta esta conducta en ustedes. ¡Que no vuelva a ocurrir!

Dio media vuelta sobre sus tacones de aguja y se fue.

Yo aún estaba decidida a huir a mi casa, pero Zoom no me dejó.

–Ya conoces ese dicho. Toma una ramita sola y será fácil quebrarla. Ata unas cuantas juntas, y ya no será tan fácil. Si son cinco, más difícil todavía. Estamos tú, Mac, Cat, Becca y yo. No podrán quebrarnos si nos mantenemos juntos. No estás sola en esto. ¿De acuerdo?

–De acuerdo –respondí, intentando sonreír.

Querido Zoom, pensé. Se está esforzando, y tal vez hasta pensó que yo le gustaba, pero no sabe cómo soy. Patética. Una perdedora. No puedo librar mis propias batallas. Quejosa, débil, compadeciéndome de mí misma. Lo mejor será que me vaya de aquí y deje a todos en paz.

Cat y Becca no me dejaron marcharme. Me escoltaron, una a cada lado, a la primera clase. Aunque Kaylie y los Clones se rieron en tono burlón cuando entramos, ya no me importaba. Estaba decidida. Ella, sus Clones y este horrible episodio pronto serían apenas un mal recuer-do. Teníamos tres horas de clase: dos de inglés y luego arte dramático con la Srta. Segal. Después, a la hora del almuerzo, me escaparía. Volvería a mi vieja escuela y, por fin, la pesadilla terminaría para siempre.

15
Improvisando la pesadilla

—Bien, alumnos –dijo la Srta. Segal, echando un vistazo al aula. Traté de no mirarla a los ojos, pues estaba avergonzada por la foto que ella había retirado de la cartelera–. Hoy quiero hacer algo diferente. Sé que en el pasado hemos trabajado con guiones, hemos analizado textos de otras personas, ideas ajenas. Hoy vamos a soltarnos un poco más.

Yo apenas escuchaba. En mi mente, estaba llamando a mis amigas de Londres: Tara, Athina, Gaby, Sienna, Olivia, Isabel y Natalie. Esperaba que siguieran siendo mis amigas cuando volviera a aquella escuela, y que aún me aceptaran y no se dieran cuenta de que me había convertido en una perdedora.

–¿Lia? –preguntó la Srta. Segal–. ¿Estás con nosotros?

Asentí.

–Lo siento. Sí. Sólo estaba pensando.

Kaylie se rió con desdén. No me molestó. Eres historia, pensé. Sólo me falta esta clase y nunca más tendré que volver a verte a ti ni a tus estúpidas amigas.

–Bien –prosiguió la Srta. Segal–. Vamos a realizar algunas improvisaciones. Necesitaré un par de voluntarios; luego les daré la escena y veremos qué sale. La idea es improvisar sobre una situación dada. No voy a decirles qué decir ni hacer, sólo hagan lo que les venga a la mente.

No cuente conmigo, pensé. Una cosa que no pienso hacer hoy es ofrecerme de voluntaria para algo así. Parece mi peor pesadilla.

–De acuerdo. Primera situación –dijo la Srta. Segal–. Dos personas que tienen algún tipo de relación. Cuál es, lo decidirán los voluntarios. Pueden ser hermanos, parientes, compañeros de trabajo, lo que sea. Pueden estar en casa, en una oficina, en la escuela... ustedes deciden, y los demás trataremos de adivinar cuál es la relación. Bien. ¿Quiénes serán los voluntarios?

Mary Andrews y Mark Keegan levantaron la mano. Los observé como a la distancia mientras representaban una escena en un banco. Estaba muy claro. Mark era el gerente y Mary era una clienta. No me interesaba. Miré el reloj. Faltaban treinta y cinco minutos para la hora de almuerzo. Entonces saldría de allí.

Una vez que Mark y Mary terminaron su acto, la Srta. Segal volvió a levantarse.

–Bien –dijo–. Ahora hagámoslo más interesante. La esencia de toda buena obra de teatro es el conflicto. Y ¿cómo se crea eso?

–Con una pelea, señorita –respondió Joanne Nesbitt.

–Con discusiones –dijo Bill Malloy.

–Sí, pero ¿cómo provocamos esas discusiones? –insistió la Srta. Segal. Nadie respondió.

–Con algún tipo de conflicto –contestó la Srta. Segal–. Podemos crear eso juntando a dos opuestos. Por ejemplo, pongamos a dos no fumadores en un tren. ¿Qué tenemos?

–Dos personas con algo en común –respondió David Alexander.

–De acuerdo. ¿Y si juntamos a dos fumadores? –preguntó la Srta. Segal.

–Un compartimiento lleno de humo –respondió Mark Keegan.

La Srta. Segal rió.

–Sí, pero una vez más, tenemos a dos personas que se llevan bien. Ahora veamos. ¿Qué obtenemos si ponemos a un fumador y a un no fumador juntos en una habitación?

Becca miró a Kaylie con disgusto.

–Un conflicto –dijo.

–Correcto. ¿Alguien puede dar otros ejemplos de opuestos?

–Un vegetariano con un carnívoro –sugirió Sunita Ahmed.

–Bien. ¿Otro?

–Diferentes religiones, distintas ideas políticas... –dijo Laura Johnson.

–Eso es. Ya lo están captando.

–Ricos y pobres –dijo Cat.

–Populares y no populares –dijo Kaylie en tono de desdén, mirándome de reojo.

–Ganadores y perdedores –dijo Susie.

–Excelente. Entonces, para nuestra siguiente improvisación –prosiguió la Srta. Segal–, quiero a dos muchachos.

Peter Hounslow y Scott Parker se pusieron de pie y pasaron al frente.

–De acuerdo, chicos, esta vez quiero que hagan personajes opuestos. Ustedes elijan quiénes son y dónde están. Dejen evolucionar la situación y veamos qué pasa.

A pesar de mí misma, no pude evitar interesarme. Delante de mí, Pete y Scott empezaron a medirse y luego a insultarse. Pete empezó a remedar la voz de Scott y a reírse de él. Los chicos no tardaron mucho en llegar a las manos. Sabía que no era cierto porque, fuera de la escuela, son muy buenos amigos, pero al verlos recordé que cuando un chico ataca a otro, es obvio. Pete hacía de atacante y Scott era la víctima.

Cuando terminaron, la Srta. Segal aplaudió.

–Excelente, y ¿se dieron cuenta, cuando se compenetraron con sus roles, cómo Pete se volvió más fuerte y Scott, más débil? Muy buen lenguaje corporal, chicos. Scott, al final te veías realmente cansado y derrotado. Bien. Creo que eso fue muy claro: el agresor y su víctima.

Miró a la clase y sus ojos se clavaron en mí.

–De acuerdo. Veamos cómo representarían esa situación dos chicas.

Sentí que me ponía tensa. Aquello me tocaba muy de cerca y tuve deseos de desaparecer. Ni lo sueñe. Mire a otra, pensé, clavando los ojos en el suelo para eludir la mirada de la Srta. Segal. Empecé a sentir calor. Miré el reloj. Sólo veinte minutos más.

La Srta. Segal miró a los demás.

–¿Alguna voluntaria?

Vi con asombro que Cat hacía una seña a Becca, y las dos se levantaron al mismo tiempo.

–De acuerdo, chicas –dijo la Srta. Segal–. Adelante.

Cat empezó a decir algo. Becca ponía los ojos en blanco y apartaba la mirada como si estuviera muy aburrida. Jugaba con su pelo y hacía muecas de desdén a una persona invisible. Cat se calló. Entonces Becca empezó a actuar de manera muy amistosa con un grupo de personas invisibles y simuló estar repartiendo tarjetas. Se detuvo frente a Cat.

–Oh, lo siento, tú no –dijo, echándose el pelo hacia atrás–. No eres suficientemente linda.

Alguien se rió en el fondo del aula. Quedé estupefacta. Becca estaba haciendo una imitación perfecta de Kaylie. Luego atropelló a Cat.

–Oh, cuánto lo siento, no miraba por dónde iba –dijo, con una sonrisa falsa. Cat empezó a poner cara de infelicidad–. Vamos, arriba ese ánimo, Cat –dijo Becca–. Estás demasiado seria.

Eché un vistazo a Kaylie. Estaba mirando a Becca con odio. Me quería morir. Becca estaba inspirada. Hablaba con sus amigas invisibles, se burlaba, susurraba, miraba a Cat con disgusto.

Finalmente, se paró frente a Cat con una mano en la cadera.

–Sea cual sea el estilo que quisiste lograr, no lo conseguiste –le dijo, y echó a reír otra vez.

Cuando terminaron, la Srta. Segal aplaudió.

–Felicitaciones –dijo–. Fue muy interesante. Les diré por qué. Porque, en la primera situación, la de los muchachos, todo estaba claro. Pete era el agresor, Scott era la víctima. Pero con Cat y Becca, el efecto era distinto. ¿Alguien puede decirme por qué?

La clase quedó en silencio. Algunas chicas miraron a Kaylie, nerviosas. La Srta. Segal miró alrededor. Creo que percibía la tensión en el aire.

–Qué silencio se hizo aquí de pronto. Vamos, chicos. ¿Por qué fue diferente?

Sunita levantó la mano.

–Con los muchachos, los ataques eran físicos. En el caso de las chicas, era más sutil. Por ejemplo, a Scott le quedarían huellas como un hematoma o un brazo roto. En cambio, Cat sólo tenía lastimado su ego. La agresión hacia ella era casi invisible, pues Becca no lo hacía parecer adrede. Como cuando la atropelló «sin querer queriendo». Cat podría pensar que lo había imaginado.

–Entonces, ¿cuál es la solución? –preguntó la Srta. Segal.

–No la hay –respondió Sunita–. No puede decírselo a sus padres, porque no tiene un ojo amoratado ni nada, y si se queja con ellos, podrían empeorar las cosas provocando una escena en la escuela, y nadie quiere eso.

–Entonces, ¿por qué no habla con un profesor? –sugirió la Srta. Segal.

–De ninguna manera –dijo Laura Johnson–. ¿Qué va a decirle? El profesor puede pensar: ¿Cuál es el problema? Alguien te llevó por delante o no te invitó a su fiesta. ¿Y qué? Aféntalo. Entonces ella se sentiría como una tonta. O quizás el profesor hablaría con la otra chica y ésta podría portarse bien por un tiempo, haciéndose la buena amiga y todo eso, pero uno sabría que es totalmente falso. No, mejor dejar a los profesores afuera.

Tuve la impresión de que Sunita y Laura hablaban por experiencia propia y me pregunté si ellas también habrían tenido que soportar los métodos de Kaylie.

–Entonces, ¿qué hace esta víctima? –insistió la Srta. Segal.

Por un momento nadie habló, hasta que se oyó una voz en el fondo del aula. Era Tina Woods, una chica muy callada, que rara vez hablaba.

–Bueno... –Se acomodó las gafas con nerviosismo–. Llora a solas en su casa. Esconde sus sentimientos y trata de pasar los días sin que nadie repare en ella... Trata de hacerse invisible.

En ese momento, sonó el timbre y los chicos empezaron a moverse, ansiosos por salir, pero yo estaba como clavada a mi asiento. Tina había descrito mi experiencia con exactitud, igual que Laura y Sunita.

–Antes de que se vayan –dijo la Srta. Segal–, quisiera decir que sí hay cosas que se pueden hacer. La mayoría de las personas prepotentes son cobardes en el fondo, y es necesario hacerles frente de una u otra manera. Pónganlas al descubierto. Porque, si se lo están haciendo a una persona, es probable que también se lo estén haciendo a otras. Y, si no ahora, lo harán en otro momento. Yo lo sé bien. Lo padecí en la escuela y tardé mucho tiempo en darme cuenta de que tenía que ser yo misma, en lugar de dejar que los demás definieran quién era yo. Bien, pueden salir, pero estoy aquí si alguien quiere seguir hablando de esto.

Cuando la clase empezó a salir a toda prisa, noté que Tina Woods se demoraba en el fondo. Me puse de pie y salí con Cat y Becca. Me sentía estupefacta.

16
Verdaderos amigos

—Estuviste brillante, Becca —dijo Laura, mientras comíamos nuestros emparedados durante el almuerzo—. Imitaste a ya sabes quién a la perfección.

Todo el mundo hablaba de la clase de la Srta. Segal. Parecía que muchos habían padecido la prepotencia en la escuela. Tina, Sunita, Laura, incluso algunos muchachos se habían visto sometidos a alguna clase de exclusión, insultos y maltrato en general.

—Bueno, yo no tengo miedo de nombrarla —dijo Cat—. Te refieres a Kaylie. Es la primera vez que la vi tan incómoda en clase. Y noté que salió muy rápido cuando sonó el timbre. No quiere probar su propia medicina.

—Ella y sus amigas me arruinaron la vida el semestre pasado, sólo porque no les gustaba la ropa deportiva que usaba —contó Sunita—. Pero mis padres no podían comprarme la ropa de la marca que estaba de moda.

—Y ¿qué hiciste? —le preguntó Cat.

—Le rogué a mamá que me la comprara, y ella ahorró dinero y me la regaló para Navidad —respondió Sunita—, pero eso tampoco dio resultado. Kaylie me acusó de imitarla y de vestirme como ella.

—No se puede ganar con esa gente —repuso Becca—. Es mejor dejar que se pudran en su propio veneno.

—Es asombroso —observé—, porque a veces llegué a pensar que era por mí. Que era mi culpa.

—De ninguna manera —dijo Becca—. Algunas chicas son muy malas. Quién sabe por qué. Como Jade Macey. Podríamos haber sido buenas amigas. Pero no, ella no quería que nadie de la escuela se presentara al concurso de Princesa Pop. Y trataba muy mal a cualquiera que representara una amenaza.

—Detesto todo eso —dije—. ¿Por qué no pueden verse como iguales, en lugar de rivales?

—Demasiada tolerancia para alguien como Kaylie —respondió Cat—. Ella te ve como una amenaza, especialmente desde que le quitaste a Jonno delante de sus narices...

—Bueno, si lo quiere, se lo devuelvo. —Reí—. En realidad, no. Aunque ya no quiero salir con él, es demasiado bueno para salir con Kaylie.

—¿Aún quieres irte, Lia? —preguntó Cat.

Miré el reloj y meneé la cabeza. Era la una menos diez. Mi plan de huir apenas terminaran las clases de la mañana había quedado en el olvido. La clase de la Srta. Segal lo había cambiado todo. Me di cuenta de que no estaba sola.

—Bueno, ¿qué vamos a hacer para detener a Kaylie de ahora en adelante? —preguntó Becca—. Ya les arruinó la vida la mayor parte de este semestre a Lia, Tina, Laura, Sunita, y quizá también a muchas otras.

—Hazle frente, Lia —propuso Cat—. Seguro que muchos te apoyarán. Kaylie saldría corriendo. Todo está bien para ella si te encuentra sola o si tiene consigo a su bandita de amigas, pero apuesto a que no estaría tan segura de sí misma si se diera cuenta de que la superan en número.

Meneé la cabeza.

—Después de esta mañana, francamente, no creo que sea necesario. No cabe duda de que todos en nuestra clase sabían lo que pasaba. Su conducta quedó muy al descubierto, y dudo de que pueda salirse con la suya en el futuro.

—Supongo que es así —dijo Cat—. De hecho, creo que todos pueden ver lo odiosa que es y ha sido siempre. Creo que te sorprenderá ver la cantidad de gente que no la quiere.

—Incluyeme a mí —dijo Laura.

–Y a mí –agregó Sunita, mientras se sentaba a mi lado y me ofrecía un poco de su gaseosa.

Sentí un alivio inmenso, pues hasta hoy había pensado que Sunita y Laura tampoco me tenían mucha estima. Pensaba que nadie me apreciaba. Y ahora me daba cuenta de que no era que yo no les cayera bien. Kaylie dominaba a bastantes personas y ellas temían ir en su contra. Qué desperdicio. Tanto tiempo preocupándome por lo que pensaran de mí esas chicas, cuando habríamos podido ser amigas todo el tiempo.

Respiré hondo.

–Y ¿saben una cosa? De pronto me parece una locura haber dejado que todo eso me afectara tanto. Ni siquiera me gusta Kaylie...

–A nosotras tampoco –dijeron Laura y Sunita al unísono.

–Entonces, ¿por qué me preocupaba tanto encajar en su grupo? –proseguí–. No quiero tenerla como amiga. Es raro: me parecía tan importante ganar su estima, pero ahora veo que nunca lo haré. Y ¿saben qué? No me importa.

–Eso es exactamente lo que comprendí con respecto a Jade –dijo Becca–. Tengo amigos muy buenos: tú, Cat y los chicos. Y yo estaba sufriendo por una estúpida que sólo era mala. Alguien con quien, de todos modos, no quería estar. Tienes razón, sí que es raro. Se puede perder de vista la dimensión de todo. Pasamos demasiado tiempo deseando agradar a personas que ni siquiera nos gustan.

Laura echó a reír.

–Es verdad –dijo–. Es porque son populares...

–No lo serán tanto después de hoy, no lo creo –repuso Cat–. Y, de todos modos, ¿quién dijo que eran populares? Yo creo que es un mito que ellas mismas crearon.

–Pero les dio resultado –dijo Laura–. Como ellas no me estimaban, yo pensaba que nadie lo hacía. Sólo porque no me visto y no me comporto como ellas, me hacían sentir rara. Ojalá pudieran aceptar que todos somos diferentes y dejar a la gente en paz.

–Sí, hay lugar para todos –dijo Sunita, y luego rió–. No todas queremos ser unas Barbies y a mí jamás me saldría... a menos que me blanqueara la piel y me tiñera el pelo.

–Sí –concordó Laura–. No es necesario que seamos como ella para tener amigos. Hay mucha gente en nuestro año y ellas son sólo cuatro.

–Exacto –dijo Becca–. Me parece importante invertir en las personas que sí nos gustan: nuestros verdaderos amigos. Lo que importa es lo que piensen ellos.

Asentí.

–Eso fue lo que dijo mi papá, pero en ese momento no lo comprendí del todo. Él tenía razón. Siempre habrá gente a favor y en contra de uno, y no tiene sentido perder el tiempo tratando de agradarles a los que están en contra. Es mejor juntarnos con quienes están a nuestro favor. Esas son las relaciones que valen la pena.

–Y eso significa ser absolutamente sinceros para que siempre sepamos que podemos confiar el uno en el otro –dijo Cat–. Aunque lo que uno diga pueda molestarlo. Creo que la confianza es lo más importante.

–No esconder nada –dijo Becca.

–Y nada de rencores ocultos, pues ahí empieza todo –agregué–. Entonces, nada de secretos.

Me sentía más feliz que en mucho tiempo, como si me hubiesen quitado un enorme peso de encima. En ese momento, apareció Zoom en la cabecera de la mesa y de pronto sentí que me ruborizaba. Dios mío, pensé. Aquí estoy, hablando de la confianza y la sinceridad, y estoy guardando el mayor de los secretos. Zoom. Me gusta Zoom desde hace muchísimo y jamás se lo dije a nadie.

–Por los verdaderos amigos –dijo Cat, poniendo la mano sobre la mesa.

Becca puso su mano sobre la de Cat.

–Por los verdaderos amigos –repitió.

Yo puse mi mano sobre las de ellas.

–Por los verdaderos amigos.

–Entonces, ¿las cosas están mejor que esta mañana? –preguntó Zoom, mientras se sentaba a nuestra mesa y me sonreía. Sentí que me ruborizaba aún más. Absolutamente sincera, pensé... Eso significa que tengo que decirle a Cat que me gusta su ex novio. Ayyy.

Me invadió una oleada de nerviosismo. ¿Cómo lo tomaría? Tal vez sería mejor no decirle nada y dejar las cosas como estaban. La miré y me dirigió una amplia sonrisa. ¿Qué estoy pensando?, me dije. Ella no es Kaylie. No tiene maldad. Puedo confiar en ella, sé que sí. Y tengo que demostrarle, siendo totalmente sincera, que ella también puede confiar en mí.

–Bueno, y ¿de qué se trata todo esto de las manos? –preguntó Zoom.

–Es una promesa –respondió Cat–. Un compromiso con la amistad, la confianza, la sinceridad, no guardar secretos y decir lo que uno realmente siente a las personas que le importan.

Zoom me miró profundamente a los ojos. Supe que estaba pensando lo mismo que yo y, una vez más, me ruboricé a más no poder.

En el recreo de la tarde, vi a Cat entrar al baño de chicas. Es ahora o nunca, me dije, y fui tras ella.

Cuando entré, estaba lavándose las manos y levantó la vista.

–Hola –dijo–. Ha sido un buen día, ¿no?

–Sí. Pero... Cat, tengo algo que decirte –dije, sin preámbulos.

Cat se secó las manos y se apoyó contra la pared, dispuesta a escuchar.

–Esteee... Sé que dijimos que tenemos que ser sinceras y todo eso, así que voy a decírtelo sin vueltas, y si tienes alguna objeción, aunque sea mínima, me lo dices. ¿Lo prometes?

–Sí. Te lo prometo. ¿Qué pasa?

Respiré hondo.

–Bueno, es que... probablemente hubo algo desde el comienzo. No, esteee... ¿cómo puedo decirlo? ¿Te importaría si...? No. Eh...

Cat rió.

—Lia, ¿qué tratas de decir?

—Eh... Zoom.

Cat me miró, esperando que continuara.

—¿Sí, Zoom?

—Me gusta —dije.

—Sí. A todo el mundo le gusta Zoom.

—No. Quiero decir que me gusta en serio.

—¿Te gusta en serio? ¡Ah, Lia! ¿Quieres salir con él?

—Sí.

Cat sonrió.

—Eso es excelente. Siempre supe que le gustabas. Es decir, que le gustabas en serio.

—¿De verdad? Y ¿no te molesta?

—¿A mí? ¡No, claro que no! Zoom y yo terminamos hace tiempo. Es gracioso. Incluso al principio, tuve la sensación de que le agradabas. Hace muchísimo, dijo que eras deslumbrante. Y bien, ¿ha pasado algo?

Meneé la cabeza.

—¿Te ha dicho algo?

—No exactamente.

De pronto, Cat se dio una palmada en la frente.

—Pero qué tonta soy. ¡Seguro que fue Zoom quien te envió aquella tarjeta de San Valentín! ¿La tienes contigo?

Meneé la cabeza.

—Tráela a la escuela mañana y te lo diré. Conozco su letra, aunque trate de disimularla.

—Pero ¿seguro, seguro, que no te molestaría que salga con él?

—Segurísimo —respondió Cat—. De hecho, me facilitaría mucho las cosas, porque aunque él lo ha tomado todo muy bien, siempre me ha preocupado herir sus sentimientos. No quería que estuviera solo. Me encantaría que encontrara alguien, y mucho mejor si fueras tú. Si él estuviera contigo, yo podría salir con otros chicos sin sentirme culpable.

–¿Salir con otros chicos? Pero ¿y Ollie?

–Sí, Ollie... –dijo Cat–. Lo veré cuando venga, pero creo que ambos sabemos que las relaciones serias no son lo suyo. Estoy segura de que ve a otras chicas cuando está en Londres, y no voy a ponerme posesiva. No quiero caer en eso. No quiero quemarme.

–De verdad le gustas –le dije, y sonreí–. Pregunta por ti cada vez que llama.

–Sí, pero ¿le gusto en serio? –bromeó Cat.

–Sí, creo que le gustas en serio.

Cat sonrió.

–Bien. Mantengámoslo así. Sé que si me pusiera insistente con él y empezara a exigirle que me dijera qué pasa con las otras chicas y todo eso, me dejaría. No, quiero mantener una relación sin compromisos.

–¿Si quieres conservarlo, debes tratarlo mal? –pregunté.

–Algo así. Aunque jamás podría ser mala con Ollie.

–Te entiendo –dije.

Entonces las dos echamos a reír.

–¿Cómo que me entiendes? ¿Crees que soy mala?

–Estás loca, Cat.

–Mala, loca... ¿cuándo acabarás con los insultos? –Levantó los puños como amagando pelear, justo cuando entró Kaylie–. Oye, Kaylie, ¿tú eres mala o...?

Kaylie nos miró, dio media vuelta y huyó. Cat y yo echamos a reír.

Cat se encogió de hombros.

–Yo no le dije nada malo...

–No empieces otra vez –le pedí.

Mientras volvíamos a clase, me di cuenta de que hacía muchísimo tiempo que no me divertía con payasadas así. Había puesto tanto cuidado en todo lo que decía y en cómo me veían, analizando cada mirada y cada gesto de los demás y preguntándome si habría algo más detrás. Me hacía muy bien estar relajada. Además, ahora sabía que a Cat no le molestaría lo de Zoom. El futuro empezaba a parecer muy prometedor.

17
Bandera blanca

Después de la escuela, fuimos todas a casa de Cat.

–Creo que deberíamos celebrar –dijo Cat, dirigiéndose a la cocina y directamente al refrigerador–. ¿Quién quiere scones? Aquí hay crema. ¿Quién quiere un té con leche?

–Bueno, después de todo, vivimos en Inglaterra –respondió Becca–. Donde fueres, haz lo que vieres.

–¿Hay mermelada de fresa? –pregunté.

Cat hurgó en el refrigerador y sacó un frasco de mermelada, que colocó sobre la mesa.

–Sí.

Becca leyó la etiqueta.

–Directo de la granja a nuestras caderas. Bueno, ¿qué importa? Estamos festejando.

Cat puso los ojos en blanco.

–No sé por qué te preocupas tanto por tu peso. Estás bien.

–Bien para los Teletubbies, querrás decir.

Reí. Becca luce genial, pero se cree gorda. Está loca. Tiene una figura estupenda.

Cinco minutos más tarde, mientras comíamos scones recién horneados con mermelada y crema, mi teléfono me avisó que tenía un mensaje de texto. Me limpié las migajas de las manos y lo abrí.

–Es de Kaylie. Dice que si me atrevo a delatarla a los profesores, mi vida no valdrá nada. –Reí–. Qué patética.

–¡Uuuh, qué miedo! –exclamó Cat, llevándose una mano al corazón y simulando un desmayo–. Miren cómo tiemblo.

–Humm –dijo Becca–. Así que no quiere que hables con los profesores. Es obvio que la clase de la Srta. Segal la afectó. ¿Qué hacemos?

–Nada –respondí–. Sinceramente, creo que no vale la pena. Ella sabe lo que hizo y ahora también lo sabe la mayor parte de la clase. De hecho, no me sorprendería si las cosas se dieran vuelta y empezaran a agredirla a ella ahora que se han dado cuenta de que no son las únicas.

–Bien merecido lo tendría –respondió Becca.

–Sí. Pero ¿sabes qué? La vida es muy corta. Yo debería haberle hecho caso a papá. Él me contó que hubo un tiempo en que los periodistas le hicieron la vida imposible. Dice que tardó años en aprender a no prestarles atención. A no querer desquitarse, a no tratar de contar la verdad, sino a ignorarlos. Eso quiero hacer. Tal vez Kaylie sólo busca una reacción, ¿entienden?, comprobar que me asustó o me molestó. Eso es lo que le da poder. Pero si yo no reacciono como ella espera, no tendrá poder. De todos modos, ya estoy cansada de todo esto…

–Pero no debes irte, Lia –la interrumpió Cat–. Por favor, no sigas hablando de volver a tu escuela de Londres.

–No te preocupes, no lo haré. No. Basta de malos sentimientos. No quiero vengarme ni desquitarme, ni pagarle con la misma moneda, ni nada de eso. Sólo quiero que todo esto termine. Si ella me deja en paz, yo también.

–Entonces, ¿qué hacemos? ¿Agitamos la bandera blanca para decir que no queremos pelear más?

Pensé un momento.

–En realidad, no es mala idea. Enviémosle un mensaje más por correo electrónico –propuse.

–¡¿Qué?! ¿Después de lo que pasó la última vez? –preguntó Becca–. Estás loca.

–¿Qué clase de mensaje? –preguntó Cat.

–Una especie de última oportunidad...

Becca suspiró.

–Tienes el perdón muy fácil, Lia.

–No, no es así. No estoy perdonándola. Nunca olvidaré lo que me hizo, pero quiero que todo esto se acabe de una vez. Fin. *The End.*

–Como quieras –dijo Becca–. Pero creo que estás loca. Acabas de contarnos lo que te dijo tu papá. No te metas. No tengas relación con esa clase de gente.

–No lo haré después de hoy, pero quiero terminarlo de manera positiva, no dejarle a ella la última palabra con esa estúpida amenaza. Quiero que sepa que no tengo miedo y que tampoco voy a seguir peleando con ella. Nos quedan algunos años de escuela. Quiero que tenga bien claro cómo serán las cosas conmigo.

Cat miró a Becca.

–Me parece lógico.

Cuando terminamos el té, fuimos al estudio del papá de Cat y encendimos el ordenador.

–Fírmalo en nombre de todas, para que sepa que estamos contigo –dijo Cat–. Pero ¿qué le decimos?

–*Querida Kaylie: piérdete, estúpida* –propuso Becca.

–Es tentador –respondí–, pero... ¿puedo escribirlo yo y después, si les parece bien, lo enviamos?

–Claro –dijo Cat, y me hizo lugar para que me sentara.

Querida Kaylie:

En primer lugar, tus amenazas no me asustan. De hecho, me parecen bastante patéticas. Segundo, sé muy bien que podrías reenviar esto a toda la clase como lo hiciste antes, pero no me importa. Haz lo que quieras. Nunca quise que hubiera problemas entre nosotras y estoy dispuesta a olvidarlo todo. Sé que, después de hoy, muchas chicas están dispuestas a ponerse en tu contra, pero creo que todo esto debería

terminar aquí, para siempre. Te propongo que mañana nos encontre-
mos antes de clases y entremos juntas para demostrar a todos que
estamos bien y hemos resuelto nuestras diferencias. No estoy sugi-
riendo que seamos amigas, pues eso nunca pasará, pero tampoco quiero
más problemas en la escuela.

Estaré en la entrada a las 8:55. Tú decides.

Li@ @xford

Cat se inclinó por encima de mi hombro y escribió: *Y C@t y Becc@.*

–¿Seguro que quieres enviarlo? –preguntó Becca cuando terminó de leerlo.

Asentí.

Cat se inclinó y apretó el botón de "Enviar".

18
Beso

Al día siguiente, me levanté temprano y puse mi canción favorita. Se llama *Don't panic*, de Coldplay, y siempre me pone de buen humor. Hacía semanas que no la escuchaba, pero al oír la letra resonando en mi cuarto, me puse a cantar: «Vivimos en un mundo hermoso...»

Mamá llamo a la puerta, luego entró y vino a sentarse a los pies de la cama.

–Hoy estás contenta. ¿Qué pasa?

–He decidido ser yo misma –respondí.

–Qué bueno –dijo mamá–. Al menos, eso creo. Y ¿qué significa exactamente?

Me senté a su lado.

–Significa que ya no voy a ocultar quién soy ni quién es mi familia. De hecho, me preguntaba si querrías llevarme a la escuela hoy.

–¿En el auto de Meena?

–No. En tu increíble *Porsche*.

Mamá rió.

–¿Qué pasó con aquello de mantener un perfil bajo?

–No va más –respondí–. Eso fue el mes pasado. Comprendí que somos lo que somos. Soy quien soy. No puedo pasarme la vida simulando ser alguien diferente. Soy Lia Axford, mi papá es estrella de rock y estoy orgullosa de eso. Pasé demasiado tiempo disculpándome por el hecho de que vivimos bien y tengo cosas lindas. De ahora en adelante, voy a disfrutarlo. ¿Por qué no?

–Muy cierto, ¿por qué no? –dijo mamá–. Y ¿qué fue lo que provocó este cambio?

–Es una larga historia. Sólo que... me di cuenta de que puedo ser callada, pero no invisible. Voy a ser quien soy y estaré feliz de serlo.

Mamá sonrió.

–Excelente. Ahora date prisa o llegaremos tarde.

Cuando salió, saqué mi *Cartier* de su estuche y volví a ponérmelo en la muñeca. Luego busqué la tarjeta de San Valentín y la guardé en mi mochila para mostrársela a Cat. Elegí mis mejores jeans y una camiseta de *DKNY* y me los puse. Después me apliqué un poco de rímel, brillo labial, un toque de perfume y estaba lista.

Cuando mamá y yo llegamos, Cat y Becca estaban esperándome en la entrada de la escuela. Cat silbó al verme bajar del auto.

–Bueno, bueno –dijo, mientras mamá tocaba bocina y se alejaba–. Estás fantástica. Hacía muchísimo que no te dejabas el pelo suelto.

–Gracias... –respondí, mirando alrededor–. ¿Han visto a Kaylie?

–Aún no –respondió Becca.

Saqué la tarjeta de San Valentín y se la mostré a Cat. La miró y sonrió.

–No cabe duda –dijo–. Zoom siempre fue malísimo para disfrazar la letra.

Le sonreí. Me alegró mucho saber que sí era de Zoom. Todo ese tiempo había gustado de mí y nunca había dicho una palabra.

–Con que tú y Zoom, ¿eh? –dijo Becca–. Cat me lo contó todo. Me parece excelente.

Sonreí.

–A mí también.

Después, nos quedamos esperando. Hasta que sonó el timbre.

–No va a aparecer, ¿verdad? –dije.

Becca meneó la cabeza.

–No pensé que fuera a hacerlo.

–¿Te molesta? –preguntó Cat.

–En absoluto –respondí, y lo decía en serio–. Ella se lo pierde. Ahora mejor démonos prisa.

Entramos justo a tiempo y formamos fila con el resto de nuestros compañeros. No había rastros de Kaylie. Sólo cuando ingresábamos a la primera clase, Cat la vio. Estaba con los Clones, como de costumbre, y entraban al aula. No me molestó en absoluto que no se hubiera presentado en la entrada. Yo había agitado la bandera blanca y ella había optado por ignorarla. Allá ella. Mientras esperábamos que llegara el Sr. Riley, nuestro profesor de matemáticas, Cat, Becca y yo fuimos a conversar con Laura, Sunita y Tina, en el lado opuesto del aula adonde estaban los Clones.

–Cat nos contó sobre el e-mail, Lia –dijo Sunita–. Bien hecho. Pero no apareció, ¿eh?

–No vino pero no me preocupa –respondí–. En lo más mínimo.

–Parece que a ella sí –observó Laura, con un vistazo a Kaylie–. Está horrible, como si no hubiese dormido en una semana.

–Qué bueno –dijo Tina–. Ahora sabe lo que se siente.

–Pero creo que tienes razón –dijo Laura–. Ya no le tengo miedo ni nada de eso, pero no quiero venganza. Como tú, prefiero dejarlo atrás y continuar con mi vida. Seguir con los amigos que tengo y no pensar más en ella. Detesto toda esa mala onda.

Excelente, pensé, mirando alrededor. Hay algunas chicas muy agradables en nuestro año y decidí invitarlas a casa para conocerlas mejor.

–Bien, a sus lugares –dijo el Sr. Riley al entrar.

Durante las clases de la mañana, miré a Kaylie algunas veces, pero ella mantuvo la cabeza gacha todo el tiempo, como si no quisiera mirar a nadie. Era verdad que se la veía muy mal, pero ella había elegido no presentarse temprano para entrar con nosotras. A mí, me era totalmente indiferente. No perdía nada. Ella no quería cambiar, pero yo, sí. Sentía que toda aquella tortura me había hecho más fuerte, más firme en mi decisión de ser fiel a mí misma y a mis amigos, y de dedicarme a conocer gente que sí me agradara. Por el momento, la campaña de Kaylie había terminado y, si volvía a empezar, no podría afectarme.

Ese día, al terminar las clases, salí a esperar que me pasaran a buscar, como de costumbre. Mientras esperaba en el punto de encuentro, sonó mi teléfono. Aquí vamos, pensé, mientras abría el mensaje de texto. Tal vez Kaylie quiere intentarlo una vez más... Pero no era de ella. Era de Zoom.

«¿Nos vemos más tarde?», decía.

Le respondí: «Sí».

«Pasaré a buscarte a las 7.»

«OK.»

Sentí una oleada de nervios en el estómago mientras trataba de imaginar qué querría.

Llegó a buscarme en su viejo ciclomotor.

—Bueno, ¿adónde vamos? —le pregunté, mientras subía al asiento de atrás.

—A Rame Head —respondió.

—Pero está oscuro.

—Lo sé.

Recorrimos los caminos en silencio y me pregunté por qué se le habría ocurrido ir allá a esa hora. No podríamos ver el bellísimo paisaje. Aunque, en realidad, no me importaba mucho. Estaba sola con Zoom y eso me bastaba.

Diez minutos más tarde, detuvo el ciclomotor en el campo cercano a la península, y después desenganchó su mochila de la parte de atrás.

—¿Qué traes ahí? —le pregunté—. Parece muy pesado.

—Ya verás —respondió, al tiempo que sacaba una chaqueta abrigada—. Toma, ponte esto. Puede que haga frío allá arriba.

Me puse el abrigo encima de mi chaqueta y empezamos a caminar. Zoom iba adelante con su linterna. Cruzamos el campo que llevaba a la pequeña colina donde estaba la capilla y luego empezamos a subir los escalones de madera hasta la cima.

–Cuidado –dijo Zoom, alumbrando el suelo con la linterna para que yo pudiera ver–. Sostente del pasamanos.

–No te preocupes, eso hago –respondí. Fuera de la luz de la linterna, estaba muy oscuro, pues no hay luces eléctricas ni postes de iluminación pero, extrañamente, no estaba asustada... sólo intrigada. Miré al cielo. Era una noche clara y se podían ver millones de estrellas.

Cuando llegamos a la cima, Zoom me condujo hacia el costado de la capilla.

–De acuerdo, quédate aquí y cierra los ojos; yo te diré cuándo puedes abrirlos.

Le hice caso.

–Suerte que confío en ti –dije.

Zoom emitió una risa de loco, y luego lo oí entrar a la iglesia. ¿Qué estaría haciendo?, me pregunté.

Poco después, salió y me tomó de la mano.

–Bien, ya puedes venir, pero todavía no abras los ojos.

Rodeamos el costado de la iglesia y luego entramos.

–De acuerdo –dijo–, ya puedes abrirlos.

Los abrí y me quedé sin aliento.

–¡Cielos! Qué belleza.

La capilla es diminuta: apenas tres metros por cuatro, con tres huecos en las paredes donde antes quizás había ventanas. Por dentro, es toda de piedra gris, incluso el piso. Si alguna vez hubo baldosas, hace mucho que desaparecieron. Por lo general, allí adentro hace frío y está húmedo, pero esa noche parecía el sitio más mágico de la tierra. Lo que Zoom había llevado en su mochila eran velas. Montones de velas. Las había colocado por todo el piso y en los alféizares de las ventanas, y resplandecían con una suave luz dorada.

–Así habrá sido en la antigüedad –dijo Zoom–. Imagínate viniendo a misa desde el pueblo antes de que hubiera iluminación eléctrica.

—Asombroso —dije—. Crea un clima increíble. Como si fuera Navidad.

Zoom sacó un termo de su mochila.

—También traje provisiones —dijo—. Pensé que nos vendría bien algo caliente, así que ¿gusta una taza de té, padre?

Reí y acepté la taza que me ofrecía.

—En realidad, es chocolate caliente —explicó—. Mucho mejor que el té.

—Dime, Zoom, ¿cómo se te ocurrió hacer esto?

Se encogió de hombros.

—Cada vez que vengo aquí, me parece un sitio especial. Energizante. Los lugareños dicen que aquí convergen líneas ley muy poderosas...

—¿Qué son las líneas ley?

—Se supone que son líneas prehistóricas que unen puntos prominentes del paisaje, como iglesias y cementerios. Stonehenge está ubicado sobre una línea ley, igual que los Círculos de Piedra y los Menhires. Creo que se podría decir que, así como los ríos transportan agua, estas líneas transportan buena energía, y es quizá por eso que en la antigüedad la gente acudía a esos lugares para sus ritos religiosos. Ya sabes, para absorber las buenas vibraciones. El caso es que siempre quise venir aquí de noche. A menudo traté de imaginar cómo habría sido antiguamente, y se me ocurrió recrearlo.

Miré a mi alrededor, la capilla bañada en el suave resplandor de las velas.

—Absolutamente mágico —dije—. Muy buena energía. Yo también, siempre sentí eso al venir aquí. Es como que me carga las pilas.

Asintió.

—Pienso filmar algo aquí algún día. Tal vez alguna escena del pasado. Si quieres, puedes tener un papel protagónico.

—Dios mío. Soy incapaz de actuar. De hecho, la única vez que tuve un papel protagónico fue a los cinco años. Hacía de María en la obra de Navidad y olvidé toda la letra. Desde entonces, siempre me pusieron en el coro.

–Bueno, pero tenías apenas cinco años –dijo Zoom–. Y seguro que eras muy linda. Yo también actué en una obra de Navidad cuando era pequeño. Hice de asno.

Reí.

–¿Siempre has estado tan seguro de lo que querías hacer? ¿De que querías dirigir películas?

Zoom volvió a asentir.

–Más o menos. Es decir, empecé tomando fotos; luego papá me regaló una cámara de video y allí empezó todo.

–Entonces, ¿nunca quisiste ser actor, sólo director?

–Sí, de esa manera puedo elegir los actores, los lugares donde filmar y todo eso. El lugar es importante: tiene que ser el sitio exacto para el momento indicado de la película.

–¿Y para qué es bueno este tipo de lugar? –le pregunté. En mi mente, era perfecto para una escena romántica. Me pregunté si a él le parecería lo mismo.

Zoom esbozó una sonrisa, me miró a los ojos y se inclinó hacia mí. Sentí que se me encogía el pecho y, por un momento, pensé que iba a besarme. Pero se apartó y el momento pasó.

–Para algo y alguien muy especial –respondió–. Pero uno no elige lugares sólo para filmar.

–¿A qué te refieres?

–Supongo que mi interés por hacer películas me llevó a pensar en muchas cosas. En los paralelos de la vida. La vida es lo que uno hace de ella, así como una película es lo que el director hace de ella.

–¿Cómo es eso?

–Yo veo mi vida como si estuviese haciendo una película. Es como si la cámara empezara a filmar en el momento en que naces y graba toda tu visión de la vida: una perspectiva que es totalmente única en el universo. La tuya. Pero eso no es todo. En una película hay una actriz principal, un actor principal, a veces un villano, hay extras y otros papeles. En tu vida, estás haciendo tu película. Tienes el papel protagónico, como yo lo tengo en la mía. Tuviste una villana, Kaylie O'Horrible. El hecho es que podemos elegir cómo sigue el guión. Me doy cuenta de eso cada vez más. Decidimos si vamos a hacer de héroe, de heroína, o de alguien que lo pierde todo. Es una cuestión de elección, igual que en un guión. Tú creas tu propio diálogo, tus propias reacciones. En tu película, eres la guionista, la...

Reí.

–Ya lo entendí: guionista, directora y productora. Al final, los créditos dirán: *Mi vida,* con la actuación estelar de Lia Axford, Cat Kennedy, Becca Howard...

–Sí, exactamente. Tú elegiste para ellas el papel de amigas –dijo Zoom–. También eliges los lugares donde filmas tu historia, las líneas argumentales, los intereses amorosos, todo.

–Eso me gusta. Creadora de mi propia película.

–Y las cámaras están rodando –prosiguió Zoom–, detrás de tus ojos, tomándolo todo desde tu punto de vista, de modo que también eres camarógrafa. Tú eliges en qué concentrarte, qué detalles destacar más o menos, etcétera.

Bueno, en este preciso momento estoy enfocando tu boca, pensé. En la escuela, todas piensan que Jonno es el chico más lindo. Pero yo prefiero a Zoom. Tiene una cara mucho más interesante. Pero no es sólo su cara, pensé, observándolo. Es la forma en que se le ilumina cuando habla. Y tiene mucho estilo. Me encanta esa chaqueta larga de cuero negro que usa. Le da un aspecto genial. Elegir, decía él. ¿Acaso yo había elegido que Kaylie fuera tan perversa conmigo? Tal vez sí, en parte, porque había accedido a representar un papel en la película de ella, y ella me había elegido a mí para el papel de víctima. Ya no. Vuelvo a asumir el control de mi película y quiero un papel mejor.

–Me estás mirando fijo –dijo Zoom, sonriendo.

–Uy, lo siento, sólo estaba pensando...

–¿En qué?

–En elegir. Últimamente me han pasado cosas muy raras. Estaba pensando que no creía haber elegido nada de eso. Pero tienes razón, sí lo hice. Elegí cómo reaccionar a las cosas que me pasaban. Es como ese dicho: o nadas o te hundes. Yo estuve hundiéndome un tiempo y ahora he elegido nadar. Dejé que Kaylie tuviera un papel importante en mi vida, y ahora –reí– está despedida. No la quiero más en mi película. Puede hacer de extra en las escenas que transcurren en la escuela. Pero, decididamente, sin nada de diálogo.

–Bien –dijo Zoom.

–Es curioso, porque toda esa cuestión con ella empezó después de aquel juego de Verdad, Consecuencia, Beso o Promesa –recordé–. ¿Te acuerdas del día de San Valentín, cuando Becca nos dijo a todos que teníamos que besar a alguien, y a mí, que debía besar a Jonno?

El rostro de Zoom se ensombreció por un momento.

–Ah, sí, tu coprotagonista. ¿Cómo va eso?

–Creo que voy a cambiar de actor. Soy la directora de mi película. Puedo hacerlo, ¿no?

Zoom volvió a sonreír.

–Claro que sí. ¿Jonno sabe que está despedido?

Meneé la cabeza.

–Aún no escribí el diálogo para esa escena, pero voy a trabajar en eso estos días y se lo diré la próxima vez que lo vea.

Después de esa noche, estaba más segura que nunca de que tenía que terminar con Jonno. Apenas llevaba un rato con Zoom, pero era súper interesante. Realmente pensaba en las cosas. Y ni una sola vez había mencionado el fútbol.

–Pero olvidemos a Jonno por un rato. Hablando de aquella noche de San Valentín, tú nunca cumpliste con tu prenda de besar a alguien. Dijiste que lo harías en su momento.

Zoom se quedó callado un instante.

–Lo haré cuando sea el momento indicado.

Yo realmente quería que me besara, como nunca me había pasado antes.

–Y ¿cuándo crees que será eso?

Zoom hizo una cosa asombrosa. Sonrió con los ojos y después miró al suelo.

–Con la chica indicada, en el momento indicado –respondió, y luego me miró a los ojos–. No puedes apresurarlo. Es como una fruta: si la pruebas demasiado pronto, no resulta tan dulce y sabrosa como cuando está madura.

Sentí que el estómago me daba un vuelco. Si había estado esperándome, yo estaba lista. No me cabía duda: nunca había sentido eso por un chico, jamás, ni siquiera por el amigo de Ollie, Michael. Esto era distinto. Especial. Me sentía viva. Energizada, como si hubiera bebido diez tazas de café, pero extrañamente calma a la vez. La vida es lo que uno hace de ella, había dicho Zoom. Tú eliges cómo quieres que sea tu película. Pues bien, yo elijo ya no ser tímida, pensé. Quiero un papel más divertido en mi propia película. Pero ¿estará listo él para la siguiente escena? Mientras Zoom seguía mirándome a los ojos, me pregunté cómo podría acelerar el proceso.

–Bueno, terminó el invierno –dije–. Ya llega la primavera y luego el verano. Yo diría que es un buen momento para que las cosas maduren.

Respiré hondo, di un paso hacia él y suavemente rodeé su cuello con mis brazos. Él me tomó por la cintura y me atrajo hacia él, y entonces...

Entra banda de sonido romántica mientras la cámara se aleja hasta que la imagen desaparece.

Fin.

Bueno, es mi película. Puedo hacer eso. Y creo que la mayoría se imaginará lo que pasó después...

Sobre Cathy Hopkins

Cathy Hopkins vive en el norte de Londres con su apuesto esposo y tres gatos. Pasa la mayor parte del tiempo encerrada en un cobertizo al pie del jardín, simulando escribir libros, pero en realidad, lo que hace es escuchar música, bailar a lo hippie y charlar con sus amigos por correo electrónico.

De vez en cuando, la acompaña Molly, la gata que se cree correctora de textos y le gusta caminar sobre el teclado, corrigiendo y borrando las palabras que no le agradan.

Los demás gatos tienen otras ocupaciones.

A Barny le gusta tenderse de espaldas sobre la hierba, a contemplar las nubes y crear poesía. (Lamentablemente, no ha publicado nada, pues ha sido difícil encontrar alguien que traduzca su lengua gatuna, pero él y Cathy no pierden las esperanzas.)

A Maisie, la tercera gata, le preocupaba que Cathy hubiera olvidado cómo es ser adolescente, de modo que se esfuerza por recordárselo. Y lo hace muy bien. No presta atención a nadie y sólo viene a comer, dormir, y cada tanto emite un cansino «Miwhhf» (que significa «qué me importa» en lengua gatuna).

Además de eso, Cathy se ha inscripto en el gimnasio y pasa más tiempo del que le conviene inventando excusas para no tener que ir.

Índice

¡Tu opinión es importante!
Escríbenos un e-mail a **miopinion@libroregalo.com**
con el título de este libro en el "Asunto".